W9-CNC-315

CROCHET TODO EL AÑO

CROCHET TODO EL AÑO

María Fernanda Pérez

ATLANTIDA

Título
Crochet todo el año

Autor
María Fernanda Pérez

Producción editorial
Hedifam S.R.L.

Adaptación de diseño y diagramación
Paula Reyna González y Martín Medori

Agradezco a Hilados LHO por facilitarme los hilados empleados en estos trabajos.

Pérez, María Fernanda
Crochet todo el año. - 1a ed. - Buenos Aires : Atlántida; Hedifam, 2012.
84 p. ; 21x17 cm.

ISBN 978-950-08-4136-8

1. Tejido Crochet. I. Título
CDD 746.434

Fecha de catalogación: 17/10/2012

Primera edición publicada por Editorial Atlántida S.A.

Libro de edición argentina. Impreso en la Argentina. Printed in Argentina.
Impreso en Cartoon S.A., Avenida Paraguay 1829, Salta Capital, C.P. A4402FZT, República Argentina,
en el mes de noviembre de 2012.

Tirada: 20.200 ejemplares.

PALABRAS DE LA AUTORA

Este libro, mi primer hijo, lo dedico a todos los que me incentivaron a emplear mis manos para expresarme.
A mi mamá, mi mamo derecha y a veces también la izquierda.
A mi gran colaboradora y amiga, Graciela Del Valle Wojewoda.
A mi pareja, por saber compartir y apoyarme devanando hilados.
A mi sobrino Toby.
Y a mi papá, que me enseñó a luchar con fuerza y pasión por lo que deseamos en la vida.
Por supuesto, no me olvido de ustedes, mis alumnas, mis lectoras, mis chicas. Les dedico este momento para que se tejan algo lindo, para que con su arte ayuden a la economía de la casa y, por sobre todas las cosas, para que sigan creyendo en sus propias capacidades. Un beso.

Con el correr del día las tareas se multiplican y la idea de destinar un tiempo a las manualidades queda en el olvido. Sin embargo, vale la pena rescatarla y ponerla en práctica.

Aquí les propongo un método sencillo para que todas puedan no sólo aprender a tejer al crochet, sino también encontrar su propio estilo en las prendas que realicen.

Con trabajos tanto para principiantes como para avanzadas, este libro se convertirá en su guía ilustrada del arte en crochet. Dará respuesta a todas sus dudas, desde la manera de sostener la aguja hasta las formas más complejas del encaje, y abrirá las puertas a su propia creatividad.

Maria Fernanda Pérez

Agujas

La herramienta fundamental para el tejido al crochet es la aguja, también llamada ganchillo, pues tiene forma de varilla cilíndrica y en uno de sus extremos posee un gancho. Con éste se toma el hilado y se lo entrelaza para crear distintas tramas con una gran variedad de puntos.

Las agujas de crochet se consiguen con facilidad en el comercio. Pueden ser de aluminio, acero, plástico o madera. Hay de diferentes grosores y tipos, según el uso.

Grosores de agujas

Por lo general, el grosor de la aguja se corresponde con el del hilado que se utiliza, aunque si se desea realizar un tejido de trama muy abierta se puede utilizar una aguja gruesa con un hilado fino.

1. Agujas finas

Suelen ser de acero y se usan con hilos de algodón retorcidos y delgados, de hasta 2 mm de grosor. Su numeración va de 1 a 14 y cuanto más alto es el número, menor es el grosor de la aguja.

2. Agujas medias y gruesas

Las hay de madera, de plástico y de metal pintado. Se utilizan con hilos de mayor grosor. Su numeración va de 1 a 14 y cuanto más alto es el número, mayor es el grosor de la aguja.

También hay agujas niqueladas, que se emplean con hilos de grosor fino a medio. Se identifican por cantidad de ceros (de uno a siete) y cuanto mayor es la cantidad de ceros, mayor es el grosor de la aguja.

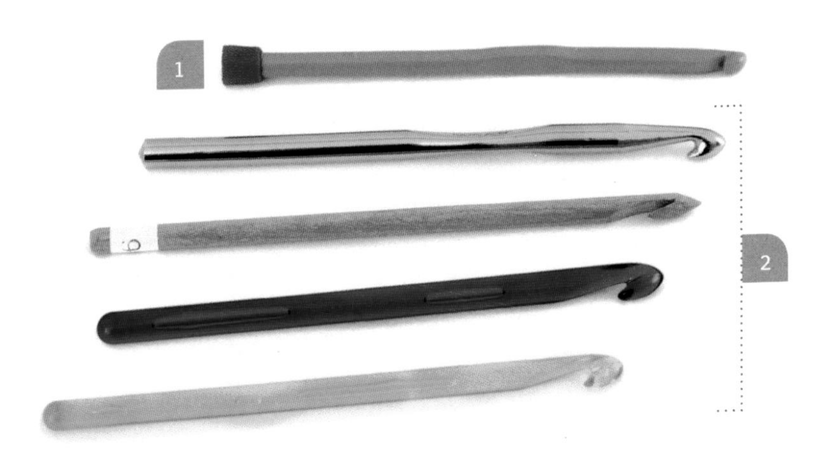

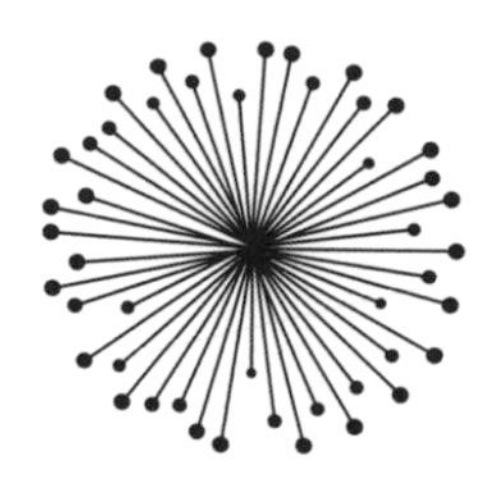

Agujas especiales

Agujas tunecinas

Son de madera o de metal pintado, largas como las agujas de tricot y de diámetro uniforme. Pueden tener un gancho en cada extremo o bien el gancho en un extremo y un tope en el otro. Su grosor debe ser acorde con el del hilado, que muchas veces es lana gruesa o material con pelo. Su numeración va de 1 a 14 y cuanto más alto es el número, mayor es el grosor de la aguja.

Horquilla

Se emplea para tejer tiras de encaje. Consta de dos púas de punta roma, que permiten trabajar entre ellas con la aguja de crochet, y dos topes, que marcan el ancho de la tira.

En el mercado se consiguen horquillas de diferentes materiales y tamaños. La elección de una u otra depende del ancho de la franja de encaje que se quiera lograr. Es conveniente emplear horquillas anchas con hilados gruesos y horquillas estrechas con hilados finos.

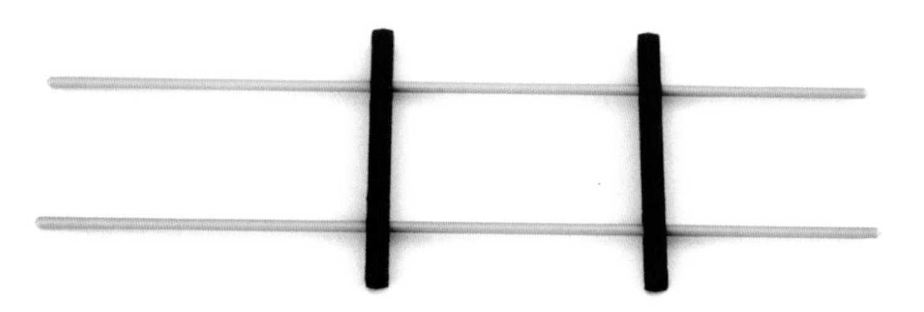

Técnicas

Cómo sostener la aguja

Si bien la forma en que se sostiene la aguja es por demás personal y debe ajustarse a la comodidad de cada tejedora, existen dos métodos estandarizados.

Método del lápiz
La aguja se sostiene entre las puntas del pulgar y del índice flexionado.

Método del cuchillo
La aguja se sostiene entre el pulgar y el dedo medio; el índice se ubica por encima de la aguja.

En ambos métodos, las tejedoras diestras sostienen la aguja con la mano derecha y usan la izquierda para controlar la lana y para sujetar los puntos a medida que se van creando.

Las tejedoras zurdas también pueden optar por cualquiera de los dos métodos, invirtiendo las funciones de las manos.

Una vez tejida la cadena de base de la labor, tejer la primera hilera introduciendo la aguja por el centro de cada punto cadena.

Inicio de tejidos rectos

Los tejidos rectos comienzan con un nudo de inicio y una cadena de base.

1. *Tomar una hebra 2 veces alrededor de la aguja, en sentido contrario al de las agujas del reloj.*
2. *Tomar otra lazada, pasarla a través del punto anterior y sujetarla fuertemente, para obtener el nudo inicial.*
3. *A partir del nudo inicial, realizar la cantidad deseada de puntos cadena.*
4. *Realizar una lazada y contar los puntos cadena de arriba hacia abajo. Tener en cuenta que los puntos de una cadena se cuentan desde el primer punto, a partir del punto que está ubicado en la aguja, hacia atrás.*

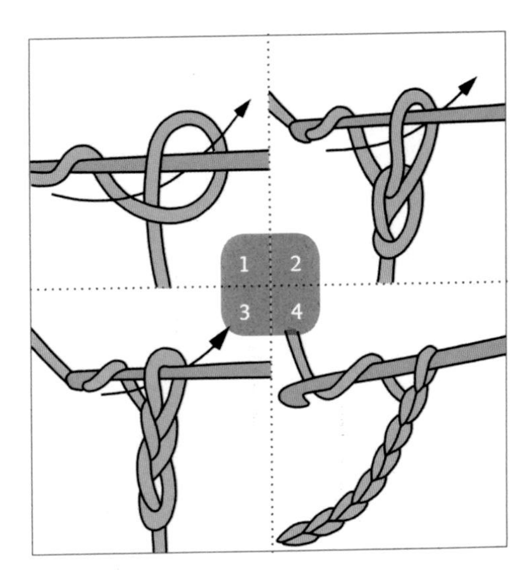

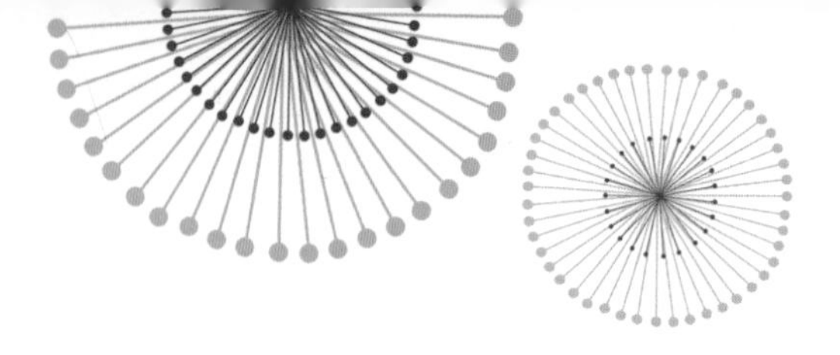

Inicio de tejidos circulares

Los tejidos circulares se inician con una anilla, que puede ser ajustable o de cadenas.

La anilla ajustable permite regular su apertura, y de este modo determinar si el centro de la labor va a ser tupido o abierto. La anilla de cadenas posee un centro abierto cuya medida dependerá del número de cadenas que la formen.

Anilla ajustable

1. *Hacer una anilla alrededor de los dedos de la mano izquierda. Sacar la aguja hacia adelante y tejer un punto cadena para asegurar.*
2. *Rellenar la anilla con medio punto, media vareta o vareta, según corresponda.*
3. *Cerrar la hilera con 1 punto pasado.*

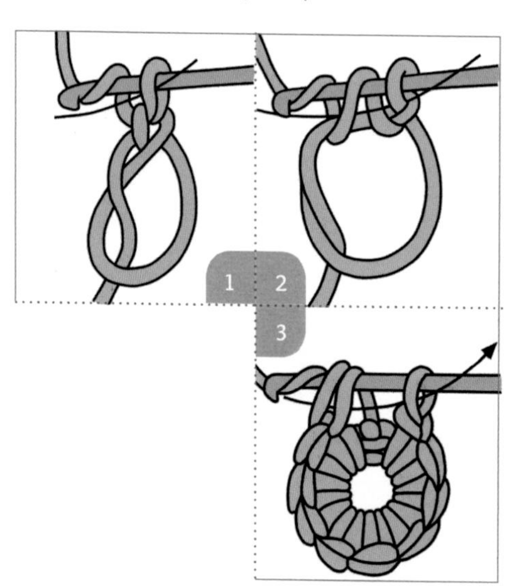

Anilla de cadenas

Realizar la cantidad necesaria de puntos cadena. Insertar la aguja en el primer punto cadena que se tejió, tomar una hebra y pasarla a través del mismo punto y del punto que está en la aguja (1 punto pasado).

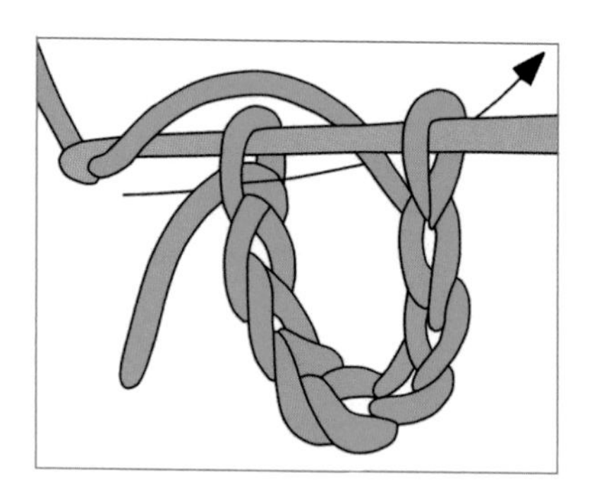

Cómo hincar la aguja

A menos que se indique lo contrario, todos los puntos del crochet se realizan insertando la aguja por debajo de los puntos de la cadena de base (o de la hilera anterior, a medida que se avanza con el tejido) y tomando las dos hebras superiores del punto a tejer.

Cuando se desea conseguir un efecto diferente, se toma sólo una de las dos hebras; por ejemplo:

✱ *Para lograr un acanalado sobre el frente de la labor, tomar la hebra de atrás del punto de la hilera anterior.*

✱ *Para un acanalado por el revés, tomar la hebra de adelante.*

* *Para obtener otras texturas, hincar la aguja entre dos puntos (es decir, en el espacio que separa dos puntos de la hilera anterior), o tejer sobre puntos situados en hileras inferiores.*

Puntos básicos

Medio punto

1. *Insertar la aguja en el punto correspondiente de la hilera anterior, tomar una lazada y pasarla a través del punto; quedan 2 puntos en la aguja.*
2. *Tomar una nueva lazada y pasarla a través de los 2 puntos que hay en la aguja.*

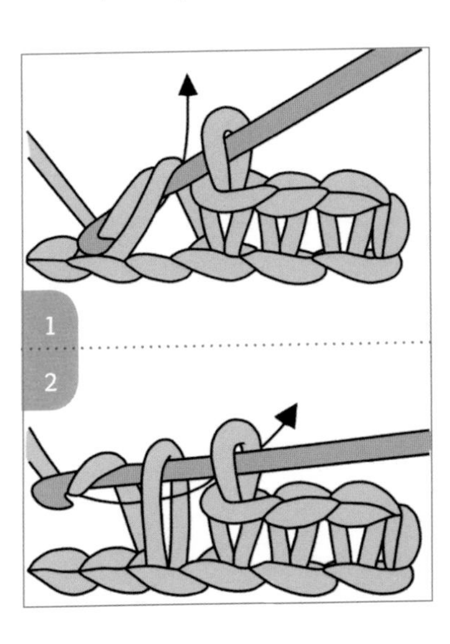

Punto pasado

Este punto es imprescindible para cerrar motivos redondos o cuadrados, y para avanzar en el tejido horizontalmente sin crecer en altura.

1. *Con el último punto del diseño tejido, pasar la aguja sola por el punto siguiente de la hilera de base.*
2. *Tomar una lazada y sacar la aguja con la lazada hacia adelante, pasando por dentro del punto de la aguja. Repetir tantas veces como sea necesario.*

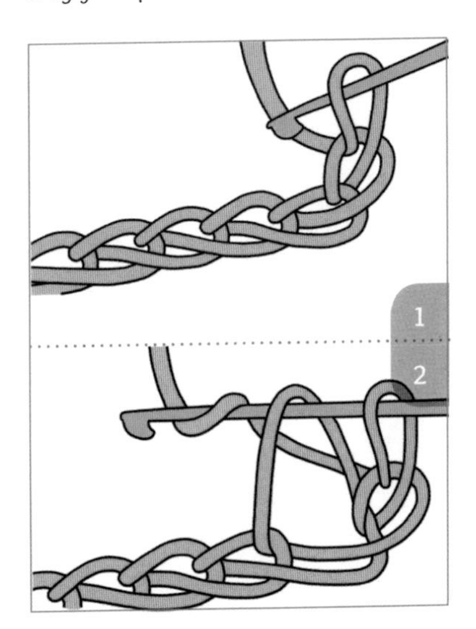

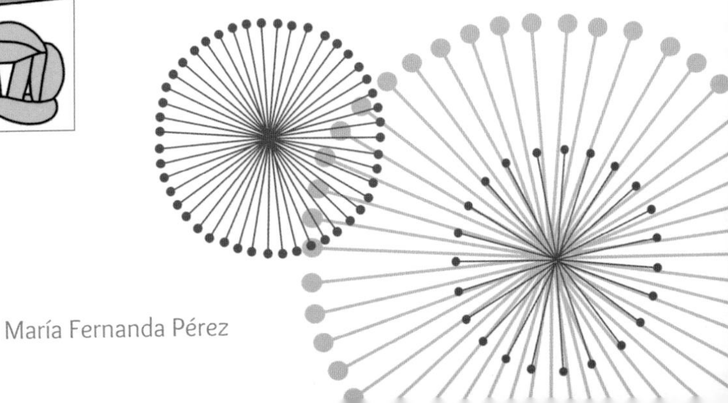

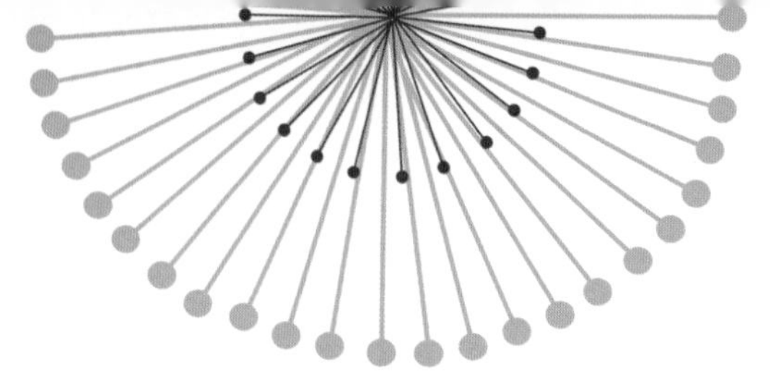

Punto vareta simple

1. *Sobre una base de cadenas, tomar una lazada y clavar la aguja en el quinto punto.*
2. *Hacer una lazada sobre la aguja y pasarla a través del punto; quedan 3 puntos en la aguja.*
3. *Hacer otra lazada sobre la aguja y cerrar los 2 primeros puntos que se encuentran en la aguja.*
4. *Tomar una nueva lazada y cerrar los 2 últimos puntos restantes.*

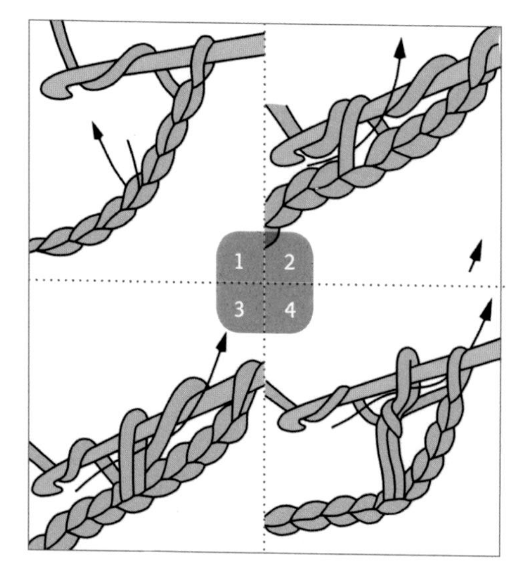

Punto vareta doble

1. *Sobre una base de cadenas, hacer 2 lazadas sobre la aguja.*
2. *Insertar la aguja en la sexta cadena de base.*
3. *Hacer una lazada y extraer el punto; quedan 4 puntos en la aguja.*
4. *Con una lazada, cerrar de dos en dos los puntos que hay sobre la aguja hasta obtener un solo punto.*

Punto vareta triple y punto vareta cuádruple

Se tejen igual que el punto vareta simple, pero comenzando con 3 o 4 lazadas, según corresponda, y sacando de dos en dos los puntos que hay en la aguja.

Punto media vareta

1. *Sobre una base de cadenas, hacer una lazada e insertar la aguja en la cuarta cadena. Realizar otra lazada sobre la aguja, pasar la aguja por el mismo punto de base y extraer el punto; quedan 3 puntos sobre la aguja.*
2. *Tomar una nueva lazada y pasarla a través de los 3 puntos que hay sobre la aguja.*

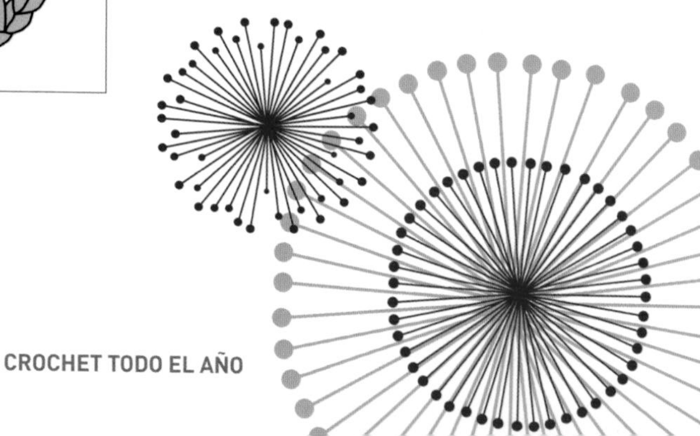

Cadenas de retorno

Para tejer la segunda hilera, se gira la labor; de ese modo, la hebra queda nuevamente del lado derecho, detrás de la aguja, y ésta puede introducirse en la parte superior de los puntos de la hilera anterior.

Al comienzo de cada hilera se añade un número de cadenas adicionales equivalente a la altura del punto que se va a tejer.

Cada uno de los puntos básicos se forma con un número específico de lazadas y tiene una altura distinta de la de los otros. Asimismo, cada punto básico requiere un número determinado de cadenas para volver.

Por lo general, los puntos que se tejen al comenzar cada hilera reemplazan al primer punto. El punto siguiente se teje introduciendo la aguja en el segundo punto de la hilera anterior. Al terminar la hilera, el punto se toma en el último punto cadena de subida de la hilera anterior.

No obstante, cuando se teje en medio punto, el punto cadena de subida no reemplaza al primer punto, y tampoco se toma al final.

Punto	Cadenas de retorno	Después de tejer la cadena de base, hincar la aguja en:	Al comienzo de una hilera, hacer el primer punto en:
Punto pasado	Una cadena	Segunda cadena a partir de la aguja	Primer punto
Medio punto	Una cadena	Tercera cadena a partir de la aguja	Primer punto
Media vareta	Dos cadenas	Cuarta cadena a partir de la aguja	Segundo punto
Vareta simple	Tres cadenas	Quinta cadena a partir de la aguja	Segundo punto
Vareta doble	Cuatro cadenas	Sexta cadena a partir de la aguja	Segundo punto
Vareta triple	Cinco cadenas	Séptima cadena a partir de la aguja	Segundo punto

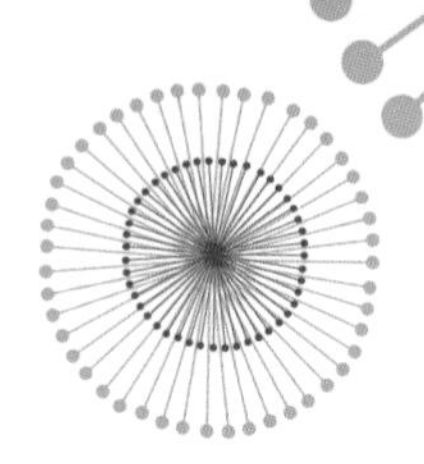

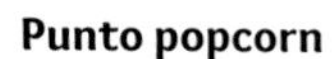

Variaciones de los puntos básicos

Punto piña o punto avellana

1. *Tejer de 3 a 5 varetas en un mismo punto de base, sin terminar de cerrar; en la aguja queda un punto por cada vareta.*
2. *Realizar una lazada sobre la aguja y cerrar de una vez todos los puntos, incluyendo el que estaba en la aguja.*

Punto popcorn

1. *Tejer cuatro o cinco varetas completas en un mismo punto base, deslizar el punto fuera de la aguja.*
2. *Hincar la aguja en la primera vareta realizada.*
3. *Recoger el punto soltado y cerrar juntos los 2 puntos sobre la aguja.*
4. *Realizar 3 puntos cadena y comenzar nuevamente el punto popcorn.*

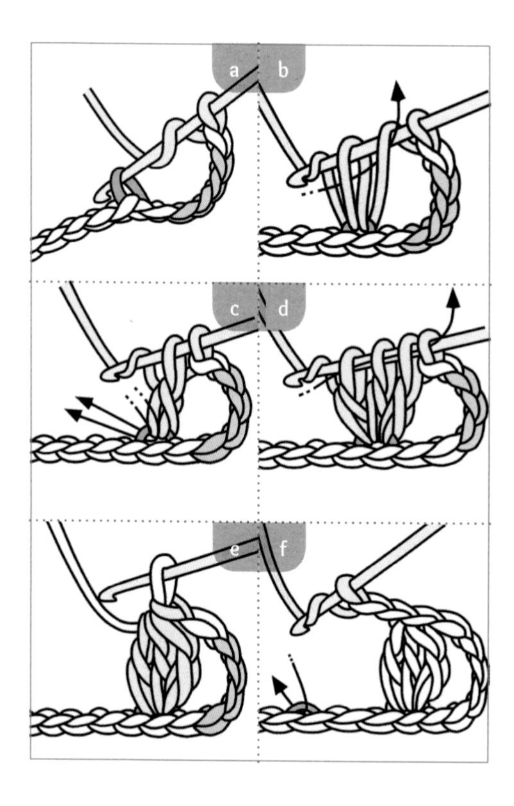

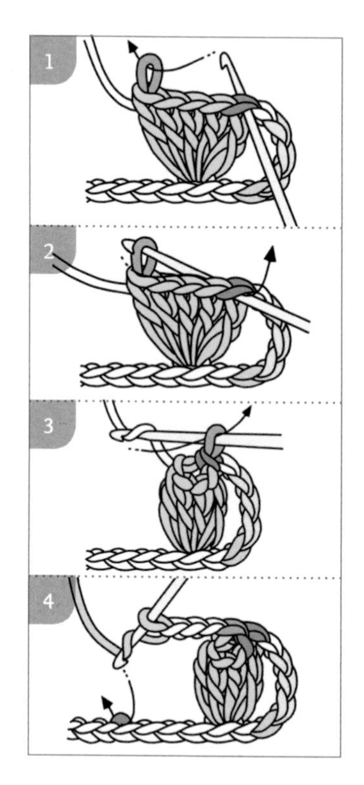

Vareta en relieve adelante

1. *Hacer una lazada e insertar la aguja por delante del tallo del punto a tejer.*
2. *Completar el punto normalmente.*

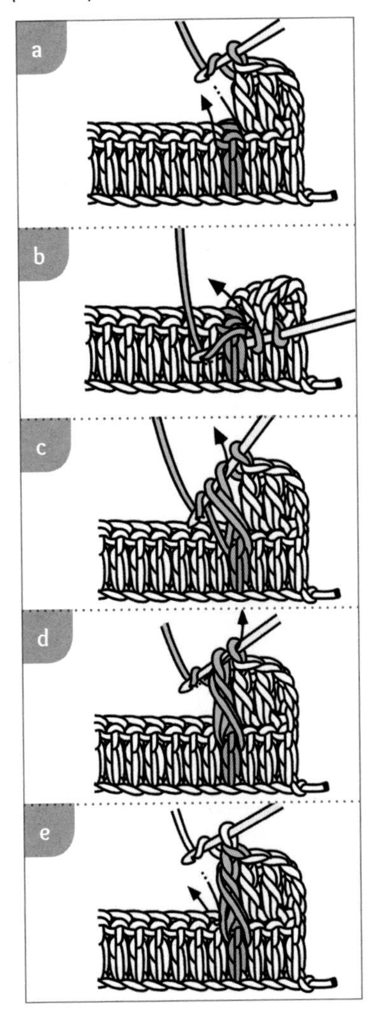

Vareta en relieve atrás

1. *Hacer una lazada e insertar la aguja por detrás del tallo del punto a tejer.*
2. *Completar el punto normalmente.*

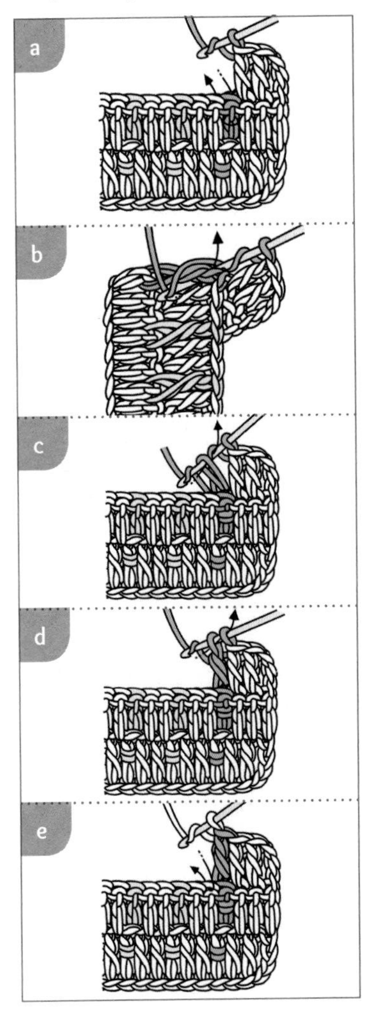

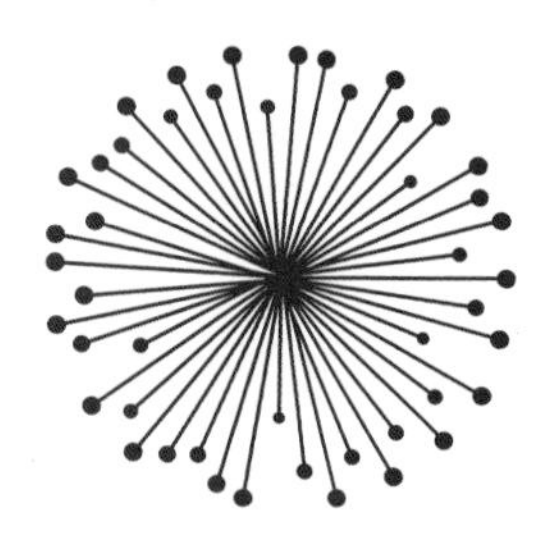

Punto picot

Se emplea tanto para terminaciones como dentro de tramas.

1. *Tejer 3 cadenas al aire.*
2. *Realizar un punto pasado tomando el primer punto cadena que se tejió.*

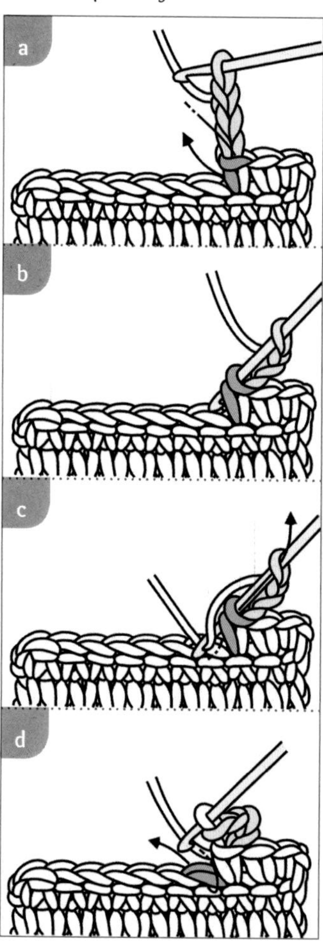

Punto cangrejo

Se trabaja de izquierda a derecha, colocando el gancho de arriba hacia abajo.

1. *Insertar la aguja en el último punto de la hilera anterior, tomar la hebra y sacar una lazada hacia adelante; quedan 2 puntos en la aguja.*
2. *Realizar una lazada sobre la aguja y tomar los 2 puntos juntos como si fuera un medio punto.*
3. *Introducir la aguja en el siguiente punto (de izquierda a derecha) y repetir los pasos anteriores.*

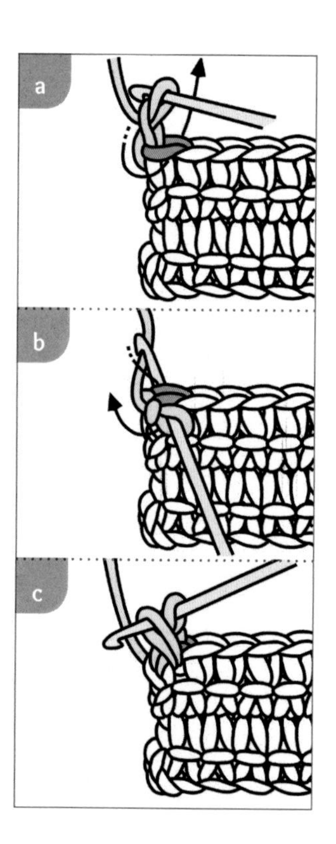

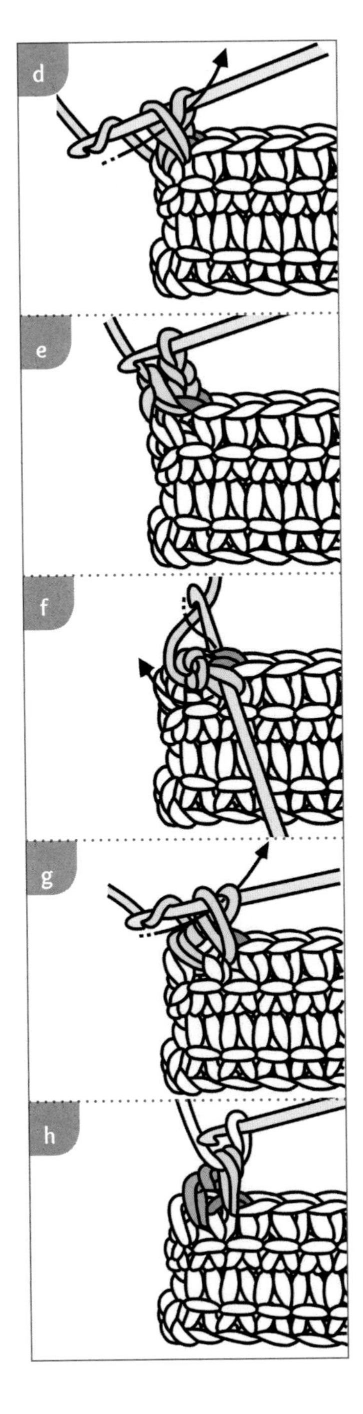

Nudo de Salomón

Este punto parte de una cadeneta especial alargada que se ajusta con un medio punto.

1. *Para realizar la cadeneta especial, estirar una cadena hasta alcanzar el largo deseado.*
2. *Tomar una lazada y pasarla sobre la cadena, separando la hebra de la cadena con el índice y el pulgar para formar un hueco.*
3. *Sobre el hueco, introducir la aguja, tomar la hebra y tejer un medio punto.*

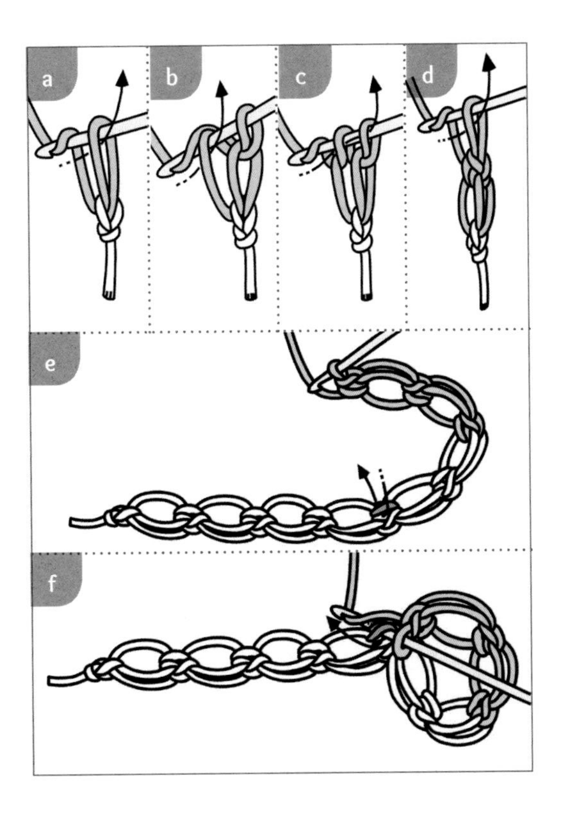

Tejidos especiales

Crochet tunecino

El crochet tunecino o "punto de pastores" se utilizaba en la antigüedad para confeccionar prendas campesinas de abrigo. En el siglo XVIII se aplicaba en alfombras y mantas, con agujas muy largas llamadas precisamente "ganchillos de mantas". Alrededor de 1850 era una hobby para las amas de casa campesinas de Europa Occidental y de las Islas Británicas. En los Estados Unidos es aún hoy una técnica sumamente popular, conocida como "crochet afgano" y explotada en la confección de mantas y alfombras que luego se bordan en punto cruz.

Las tramas de tejido tunecino parten de una cadena de base como la del crochet, pero los puntos se sostienen sobre la aguja, y la labor se trabaja siempre por el derecho.

Cada vuelta de este tejido está formada por una hilera de ida, que se realiza de derecha a izquierda recogiendo todos los puntos sobre el ganchillo, y una hilera de regreso, donde se cierran los puntos.

Punto tunecino liso

✱ ***Primera hilera de ida:*** Tejer el número de cadenas necesario para la labor, dejándolas flojas. Hincar la aguja en la segunda cadena, sacar un punto y sostenerlo en la aguja. Repetir el paso anterior con cada una de las cadenas hasta llegar al final de la hilera; quedan en la aguja tantos puntos como cadenas se hayan tejido.

✱ ***Primera hilera de retorno:*** Sin girar la labor, hacer una lazada sobre la aguja y cerrar el primer punto. Realizar una lazada y cerrar los 2 puntos siguientes. Seguir cerrando los puntos de dos en dos hasta el final de la hilera.

✱ ***Segunda hilera de ida:*** Insertar la aguja debajo de la primera hebra vertical que se presenta en el tejido, hacer una lazada y extraer un punto. Seguir extrayendo un punto de cada hebra vertical hasta levantar todos los puntos. Al final, la hilera tendrá el mismo número de puntos que la primera hilera de ida.

✱ ***Segunda hilera de retorno:*** Proceder igual que en la primera hilera de retorno.
Repetir siempre esta vuelta completa.

Crochet de horquilla

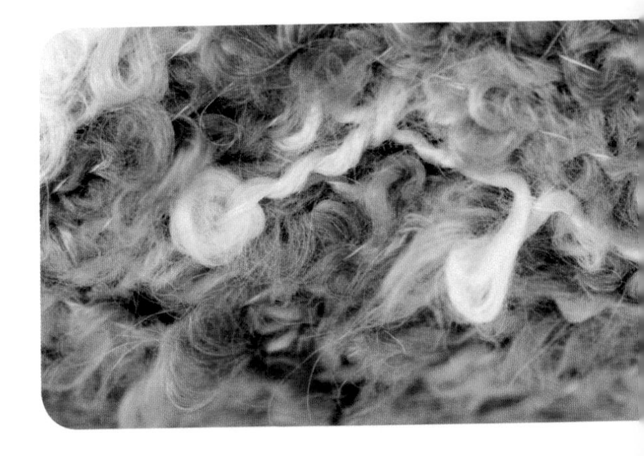

Con la horquilla se realizan tiras de encaje que se unen unas con otras para obtener un tejido vistoso y liviano. Cada tira está formada por una columna central de nudos de línea ondulada de la que salen aros.

Las tiras se pueden unir entre sí trenzando los aros de cada lado de la columna central o realizando entre ellas diversas tramas con la aguja de crochet. Así se forman franjas que se aplican como puntilla o entredós.

Tira de encaje simple en medio punto

1. *Con la aguja de crochet tejer una cadena. Extraer el punto de la aguja y pasarlo a la púa derecha de la horquilla, pasando la hebra por detrás de la púa izquierda.*
2. *Estirar el punto de manera que el nudo inicial coincida con el centro de la horquilla; para que los lazos sean siempre uniformes, conviene que las principiantes traben el resto del hilado en el centro del tope inferior. Colocar el tope superior.*
3. *Sujetar la hebra en la mano izquierda y la horquilla entre el índice y el pulgar. Girar la horquilla de derecha a izquierda de modo que el hilo quede por detrás de ambas púas.*
4. *Insertar la aguja en el primer aro, de abajo hacia arriba. Tomar el hilo y extraer un punto. Realizar una lazada sobre la aguja y hacer una cadena.*
5. *Volver a insertar la aguja en el primer aro, hacer una lazada y extraer un punto. Con una lazada cerrar los 2 puntos que quedan en la aguja.*
6. *Sin soltar el punto de la aguja, dar vuelta la horquilla de derecha a izquierda. Insertar la aguja de abajo hacia arriba en el segundo aro y tejer un medio punto.*
7. *Continuar repitiendo el paso anterior y girando la horquilla de derecha a izquierda después de terminar cada punto.*
8. *Cuando la horquilla esté llena de aros, desarmarla. Introducir nuevamente los últimos 5 o 6 aros de cada púa y continuar con la labor.*
9. *Una vez obtenido el largo deseado, rematar el último punto cortando la hebra y pasándola por este.*

Crochet peruano

El crochet peruano combina el uso de la aguja de crochet y de una aguja tutora de tricot.

Igual que en el crochet común, la labor se inicia con una cadena de base; según la trama que se busque, el número de cadenas de base puede ser múltiplo de 3, de 4, de 5 o de 6.

La textura de la trama varía en función del número de bucles de un grupo, el tamaño de la aguja de tricot y el tipo de hilado que se emplee.

Mantener el largo de las lazadas es importante para lograr un efecto uniforme y parejo en cada hilera; en cambio, para obtener tejidos acampanados hay que modificar el largo de las lazadas.

Cada vuelta de crochet peruano está formada por dos hileras.

Trama múltiplo de 4 puntos

✱ ***Primera hilera:*** Tejer una cadena y pasar el último punto a la aguja. Insertar la aguja en el centro de cada cadena, sacar un punto y, sin retorcerlo, colocarlo en la aguja de tricot. El ancho de la aguja de tricot (que puede sustituirse por una guía de cartón o por una regla) define el largo de los bucles. Levantar un bucle en cada punto de la cadena de base, sin saltearse ningún punto.

✱ ***Segunda hilera:*** Mantener todos los bucles en la aguja tutora, sobre la aguja. Sin soltarlos, agruparlos de a cuatro y cerrar cada grupo con 4 medio punto. Es importante no saltearse ningún bucle. Conservar la aguja a la izquierda y el ganchillo a la derecha y tejer de derecha a izquierda de la siguiente manera: *hincar la aguja a través de 4 bucles; en el anillo que se formó, levantar una cadena. Con una lazada cerrar el primer medio punto. Trabajar 3 medio punto más sobre el mismo ojal que se formó*. Seguir cerrando los bucles en grupos de cuatro. Esta forma de cerrar las lazadas puede variarse y modificar el acabado final del punto. Repetir de * a * a lo largo de toda la hilera.

Repetir siempre esta vuelta completa.

Símbolos

Los puntos de crochet tienen su expresión gráfica en una serie de símbolos, que están internacionalmente estandarizados.

Lectura de diagramas

Los símbolos se emplean en diagramas que representan el derecho de las tramas, tanto de tejidos rectos como de tejidos circulares. Cada una de estas dos grandes formas de tejer al crochet posee sus propios principios de lectura de diagramas.

Para los tejidos rectos o lineales, la lectura se realiza de abajo hacia arriba. La cadena de base se interpreta, por lo general, de izquierda a derecha; las hileras impares se leen de derecha a izquierda y las pares, de izquierda a derecha.

Para los tejidos circulares o en redondo, la lectura se realiza desde el centro del diagrama, en sentido contrario al de las agujas del reloj.

El asterisco (*) indica el comienzo y el final de una secuencia que se debe repetir.

SÍMBOLO	DEFINICIÓN	ABREVIATURA
	Anilla inicial	**a.**
	Punto cadena	**cd.**
	Cadeneta especial	**cd. esp.**
	Punto cangrejo	**cang.**
	Medio punto	**mp.**
	Punto pasado	**pp.**
	Media vareta	**mv.**
	Media vareta en relieve adelante	**mvt. rad.**
	Media vareta en relieve atrás	**mvt. rat.**
	Nudo de Salomón	**ns.**
	Punto picot	**pic.**
	Vareta simple	**vt.**
	Vareta doble	**vt. d.**
	Vareta triple	**vt. t.**
	Vareta en relieve adelante	**vt. rad.**
	Vareta en relieve atrás	**vt. rat.**
	Vareta doble en relieve adelante	**vt. d. rad.**
	Vareta doble en relieve atrás	**vt. d. rat.**
	Vareta triple en relieve adelante	**vt. t. rad.**
	Vareta triple en relieve atrás	**vt. t. rat.**
	Punto piña o punto avellana	**p. piña**
	Punto popcorn	**p. pcorn.**

Saco *free style*

TALLE 42

Técnica: Free style y unión de motivos.

Materiales

- 950 g de algodón repartidos en estos colores: coral, negro, crudo, verde acqua, marrón, tostado, rojo, blanco, gris y verde seco.
- Aguja de crochet Nº 3 ½.

Realización

Con aguja de crochet Nº 3 ½ y combinando a gusto los colores tejer nueve círculos grandes según el DIAGRAMA 1, dos semicírculos grandes según el DIAGRAMA 1, siete círculos medianos según el DIAGRAMA 2, dos semicírculos medianos según el DIAGRAMA 2 y cinco círculos chicos según el DIAGRAMA 3.
Con algodón color crudo y aguja de crochet Nº 3 ½ tejer tres triángulos grandes según el DIAGRAMA 4, dos triángulos medianos según el DIAGRAMA 5, un triángulo chico según el DIAGRAMA 6 y cuatro cuadrados según el DIAGRAMA 7 (estas piezas servirán para cubrir los espacios vacíos entre los círculos).

ARMADO Y TERMINACIÓN

Coser los círculos y semicírculos entre sí según el molde, y ubicar en los espacios vacíos los triángulos y los cuadrados. Dejar libre el espacio de las mangas y coser los motivos entre sí a 6 cm por sobre la cavadura de sisas.
Coser las mangas y colocarlas, haciendo coincidir el medio con la costura de hombros.
Con algodón crudo y aguja de crochet Nº 3 ½ ribetear las vistas y los puños con 2 hileras de medio punto y una de punto cangrejo. Sobre el borde del cuello tejer la puntilla según el DIAGRAMA 8.

BOTONES PERUANOS

Con algodón negro y aguja de crochet Nº 3 ½ tejer un botón peruano según el DIAGRAMA 9, de la siguiente manera: levantar 3 cadenas y cerrar la anilla con punto pasado. Saturar la anilla con una cantidad importante de medio punto encimados entre sí, para lograr volumen por superposición de puntos. Al obtener el tamaño y el espesor deseados, cortar la hebra, dejando un tramo para coser. Cerrar la anilla ajustando la hebra. Tejer otro botón igual.
Aplicar los botones sobre la vista izquierda del saco.

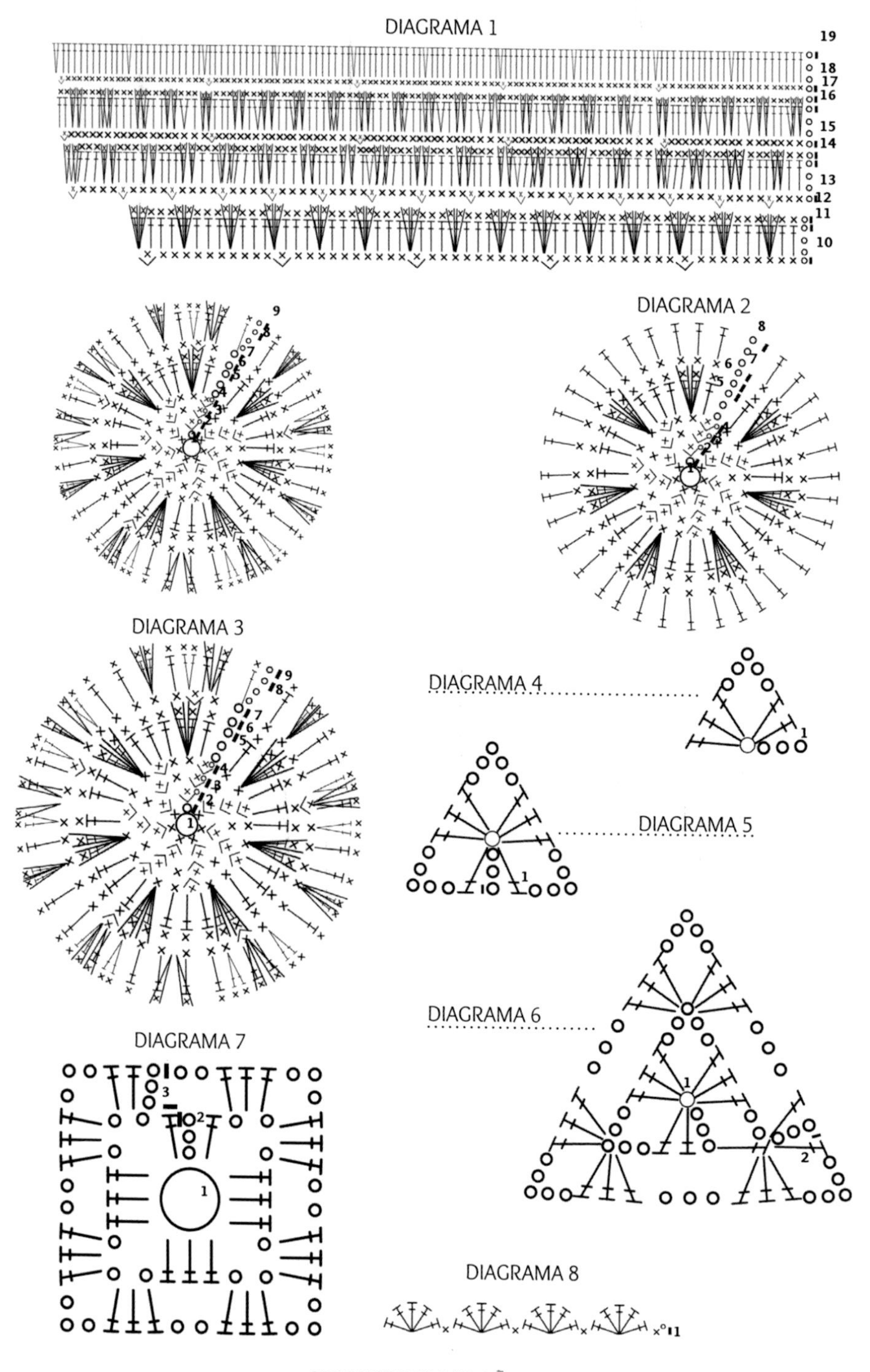
DIAGRAMA 1
19
18
17
16
15
14
13
12
11
10
DIAGRAMA 2
DIAGRAMA 3
DIAGRAMA 4
DIAGRAMA 5
DIAGRAMA 6
DIAGRAMA 7
DIAGRAMA 8

98 cm

Círculo grande

19 cm

32 cm

Círculo grande

19 cm

Círculo grande

3

3

3

3

3

Medio círculo grande

Círculo grande

Círculo grande

Medio círculo grande

2

2

2

Círculo chico

2

2

10 cm

Círculo chico

4

4

Círculo chico

4

4

1

2

1

1

Medio círculo mediano

Círculo mediano

Círculo mediano

14 cm

Círculo mediano

Círculo mediano

Círculo mediano

Círculo mediano

Círculo mediano

Medio círculo mediano

73 cm

118 cm

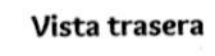

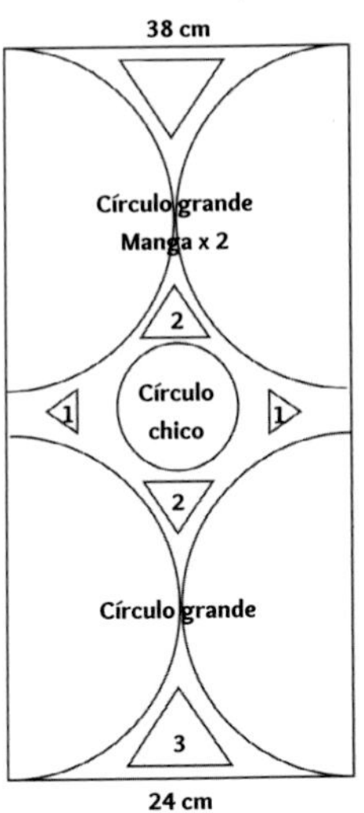

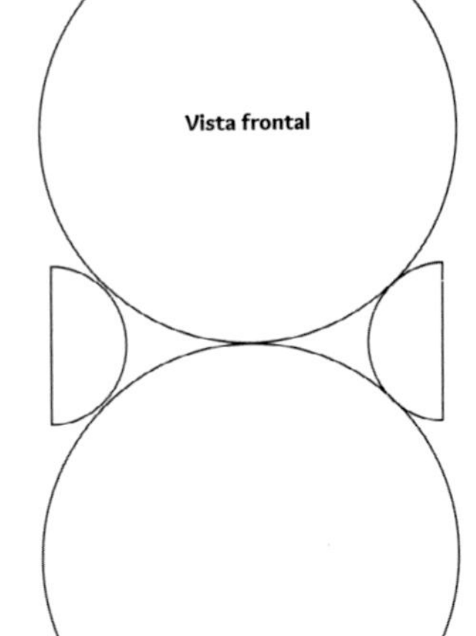

DIAGRAMA 9

1 h: Realizar una anilla.
2 h: Rellenar la anilla con medios puntos. Sin cerrar la hilera continuar rellenando la anilla hasta lograr el volumen deseado. Cerrar la anilla.

Chal capa

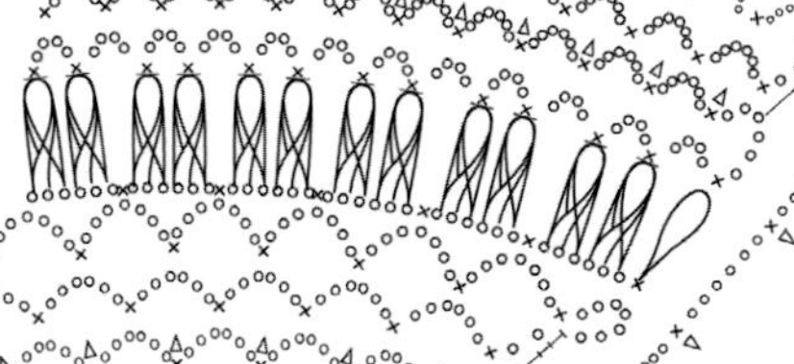

Materiales

- 250 g de bouclé con seda color champagne.
- 100 g de cinta de seda color champagne.
- Aguja de crochet Nº 4.

Técnica: Punto peruano.

Realización

Con cinta de seda y aguja de crochet Nº 4 hacer una anilla de base y rellenarla con 9 arcos de punto peruano. Continuar según el DIAGRAMA. A partir de la segunda hilera, intercalar los materiales, reservando la cinta de seda para los arcos de punto peruano. Al finalizar, cortar la hebra y rematar.

Conjunto con motivos

Materiales

- 200 g de acrílico fino con lúrex color dorado.
- Aguja de crochet N° 00.

TALLE 42

Técnica: Unión de motivos sin cortar la hebra.

Realización

Este top consta de un torso, confeccionado con tres franjas de ocho motivos que se tejen sin cortar la hebra, y un canesú que se teje en redondo.

TORSO

Con acrílico fino con lúrex y aguja de crochet N° 00 hacer 21 puntos cadena y continuar según el DIAGRAMA 1, guiándose por las flechas que marcan la dirección de la trama, hasta completar la primera franja de ocho motivos. Tejer otras dos franjas iguales, aplicando el mismo procedimiento.

CANESÚ

Con acrílico con lúrex y aguja de crochet N° 00 tejer en medio punto sobre el borde superior del paño de motivos; cerrar esta primera hilera con un punto pasado. Tejer otra hilera de medios puntos y continuar según el DIAGRAMA 2 por 10 cm.

BRETELES Y TERMINACIÓN

Para los breteles, a 6 cm de cada lado del canesú, retomar 13 puntos y tejer según el DIAGRAMA 2 por 40 cm. Cortar la hebra, rematar y coser los breteles sobre la espalda.

DIAGRAMA 1

DIAGRAMA 2

MOLDE

34 cm

10 cm

Canesú

35 cm

35 cm

43 cm

Suéter calado

Técnica: Trama en punto piña.

Materiales

- 350 g de algodón color musgo.
- Aguja de crochet Nº 3.

María Fernanda Pérez

Realización

MANGAS

Con algodón y aguja de crochet Nº 3 tejer dos rectángulos de 44 cm de ancho por 40 de largo según el DIAGRAMA 1. Cortar la hebra y rematar.

Unir las dos mangas entre sí con una puntada, como lo indica el molde.

DELANTERA Y ESPALDA

Confeccionar tanto la delantera como la espalda desde el vértice central del torso hacia los extremos. Ir levantando los puntos según el DIAGRAMA 2 y continuar tejiendo recto hasta completar 30 cm de largo.

TERMINACIÓN

Coser los laterales y ribetear el escote con puntilla según el DIAGRAMA 3.

DIAGRAMA 1

DIAGRAMA 2

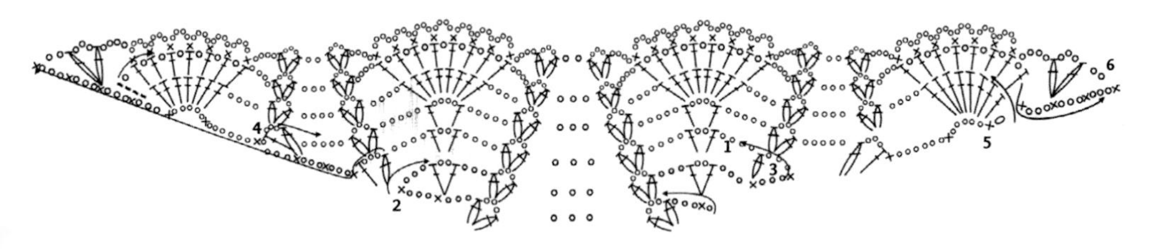

DIAGRAMA 3

△ △ △ △
XXX XXX XXX XXX XXX° ▮ 1

MOLDE

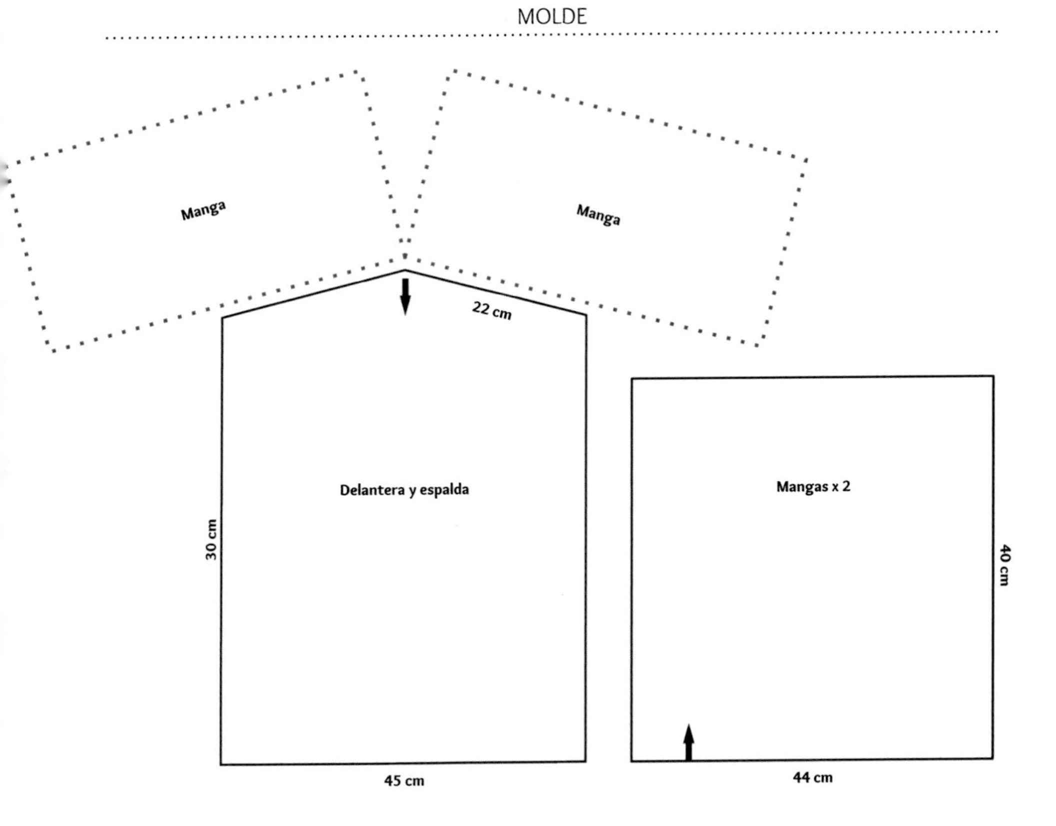

Chaleco de encaje

Materiales

- 250 g de macramé color fucsia.
- Aguja de crochet Nº 0.

Técnica: Galones de encaje.

Realización

Esta prenda se confecciona con tiras de encaje que se unen entre sí.
Con macramé y aguja de crochet Nº 0 tejer según el DIAGRAMA 1. Al completar 110 cm, cortar la hebra y rematar. Tejer tres tiras más.
Con medio punto unir entre sí las cuatro tiras, dejando libres los 30 cm centrales para el escote.

ARMADO Y TERMINACIÓN
Para cerrar los costados de la prenda, tejer flores según el DIAGRAMA 2 y medias flores según el DIAGRAMA 3.

DIAGRAMA 1

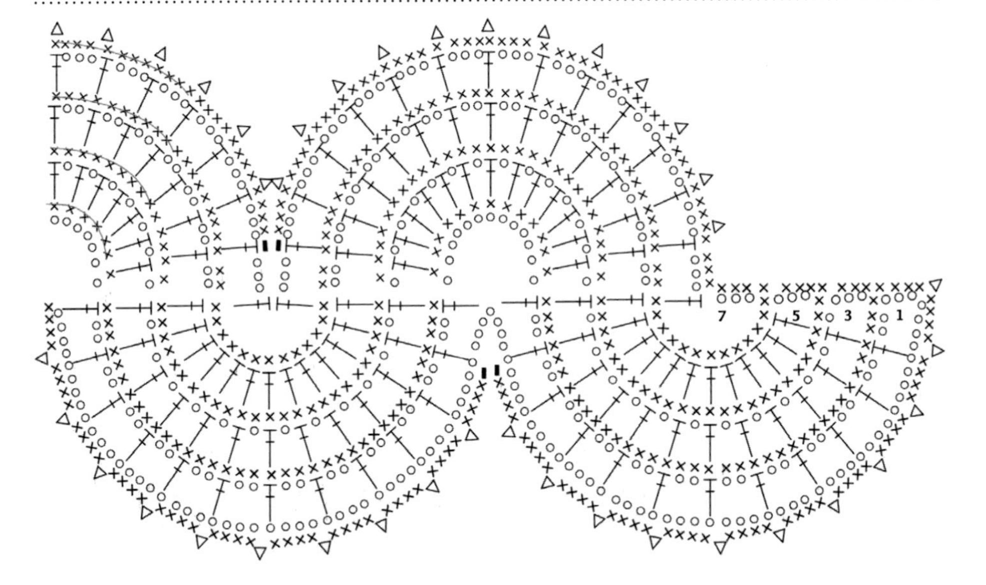

DIAGRAMA 2

DIAGRAMA 3

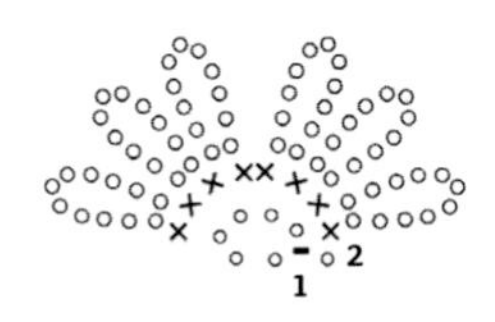

MOLDE

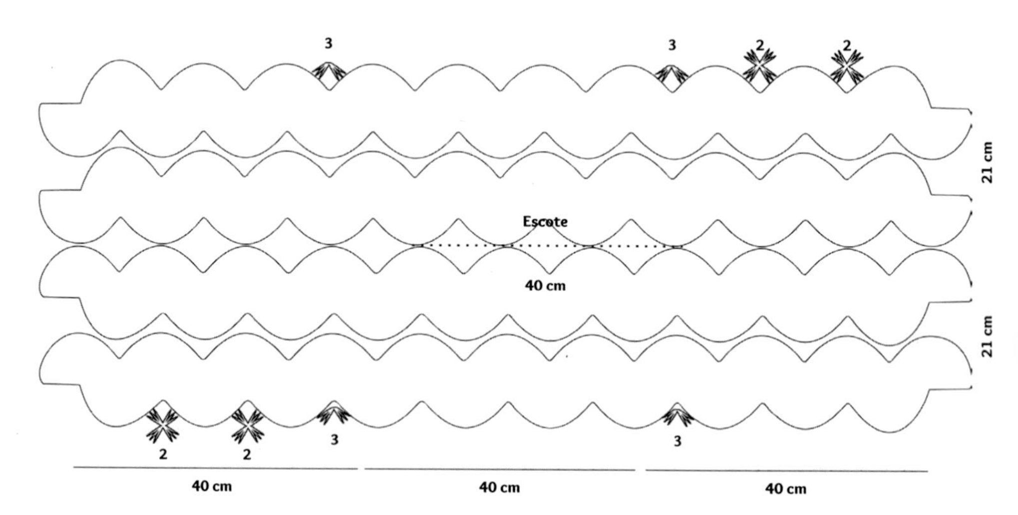

Musculosa deportiva

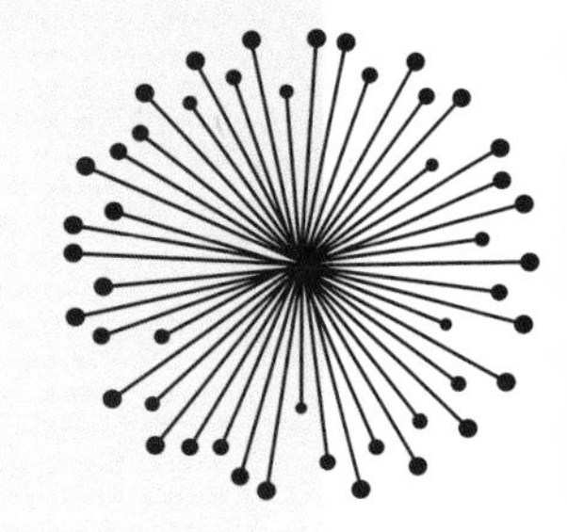

Materiales

- 150 g de macramé color blanco.
- Aguja de crochet N° 00.

María Fernanda Pérez

Realización

DELANTERA

Con macramé y aguja de crochet Nº 00 tejer una cadena de base de 136 puntos más 3 cadenas para subir. Continuar según el DIAGRAMA 1, realizando los aumentos y disminuciones que se indican. Al finalizar, cortar la hebra y rematar.

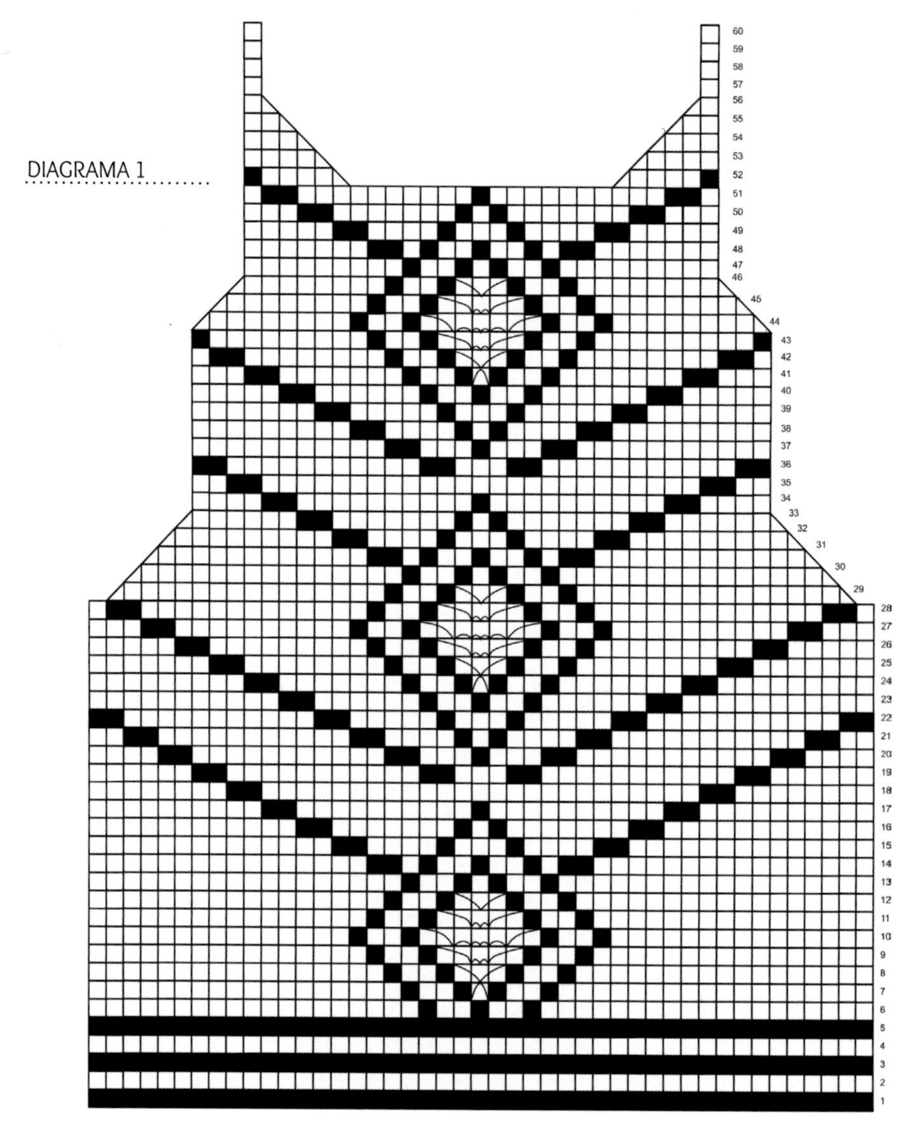

ESPALDA

Con macramé y aguja de crochet Nº 00 tejer una cadena de base de 136 puntos más 3 cadenas para subir. Continuar según el DIAGRAMA 2, realizando los aumentos y disminuciones que se indican.

ARMADO Y TERMINACIÓN

Coser los hombros y los costados del cuerpo. Para fruncir, tejer dos cadenas de 60 cm de largo; pasarlas a través de las costuras de los costados del cuerpo, haciendo zigzag, y anudar los extremos.

DIAGRAMA 2

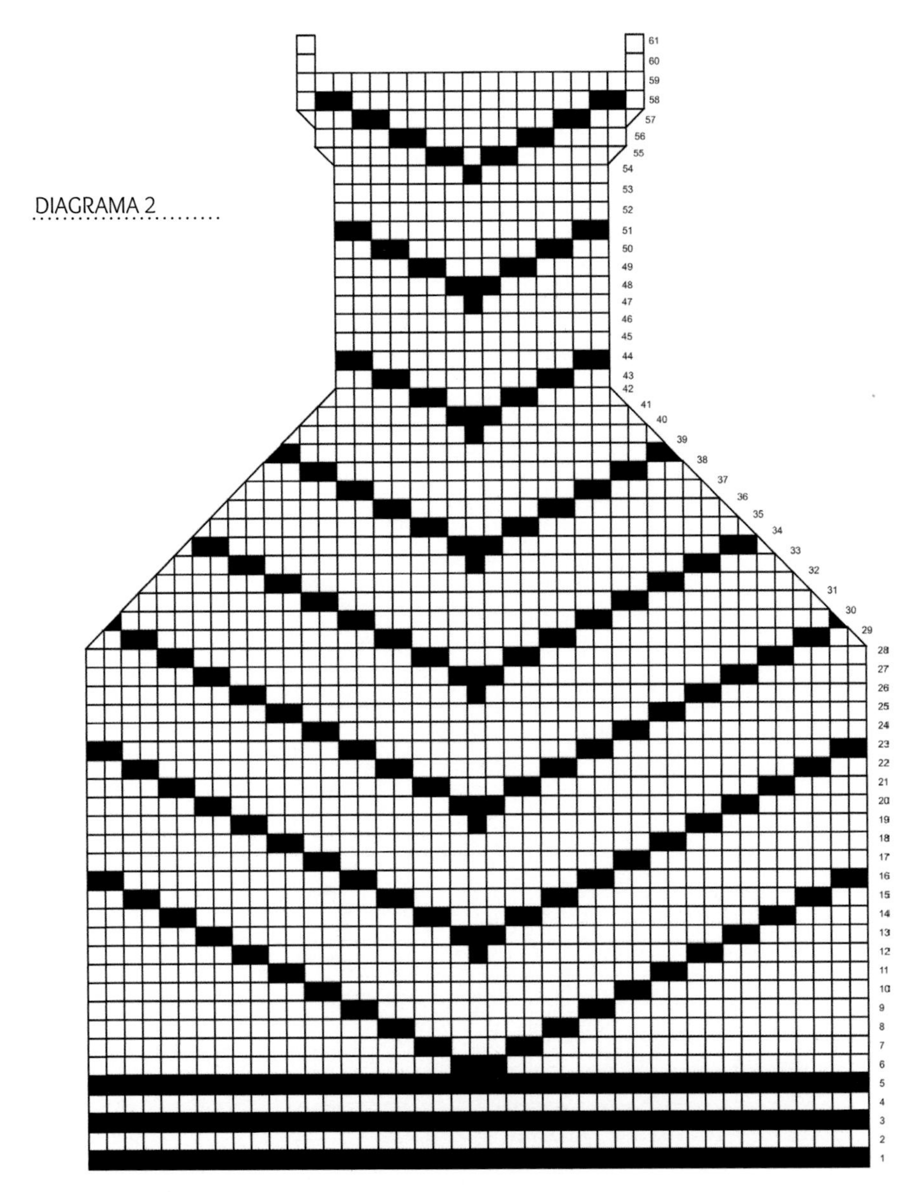

Remera irregular

Técnica: Motivos incrustados y tejido sobre molde.

Materiales

- 70 g de seda acrílica color turquesa.
- 200 g de algodón con seda color turquesa.
- Papel de molde.
- Aguja de crochet Nº 000.

Realización

DELANTERA

Con seda acrílica y aguja Nº 000 tejer una anilla y continuar según el DIAGRAMA 1 hasta la cuarta hilera. Cambiar de hilado y tejer con algodón con seda desde la quinta hilera hasta la octava. Volver a cambiar de hilado y tejer las hileras restantes con seda acrílica. Luego, realizar el molde en papel y colocar el motivo en un hombro. Alrededor del motivo tejer según el DIAGRAMA 2 el resto de la delantera, aumentando o disminuyendo los puntos de acuerdo con las medidas del molde.

ESPALDA

Con algodón con seda y aguja de crochet Nº 000 tejer una cadena base de 40 cm y continuar según el DIAGRAMA 2. A los 32 cm, aumentar 1 punto hilera por medio, a ambos lados de la labor, por cinco veces. Cuando falten 2 cm para completar la espalda, dejar sin tejer los puntos de los 10 cm centrales y retomar cada hombro por separado. En las tres hileras finales de cada hombro disminuir 1 punto por el margen interno.

ARMADO Y TERMINACIÓN

Coser la prenda. Ribetear el escote, las sisas y el bajo con 2 hileras de medio punto.

DIAGRAMA 1

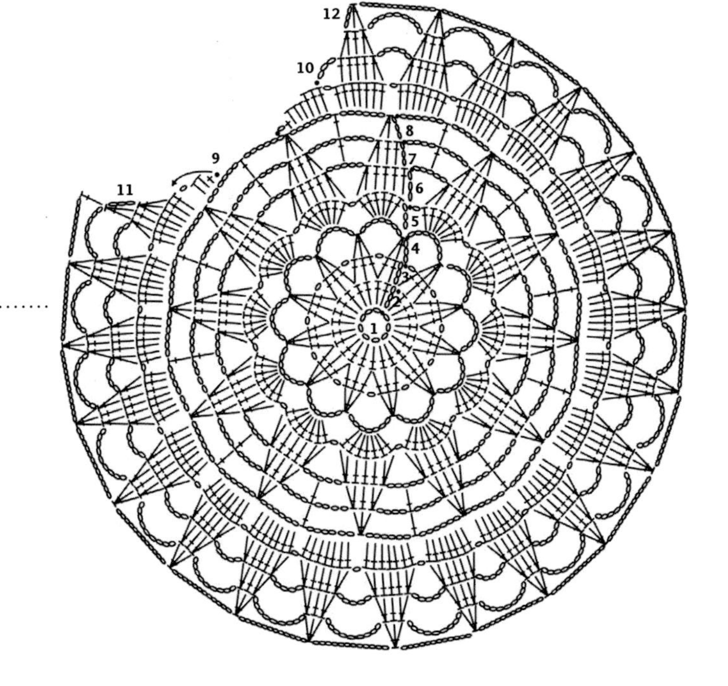

DIAGRAMA 2

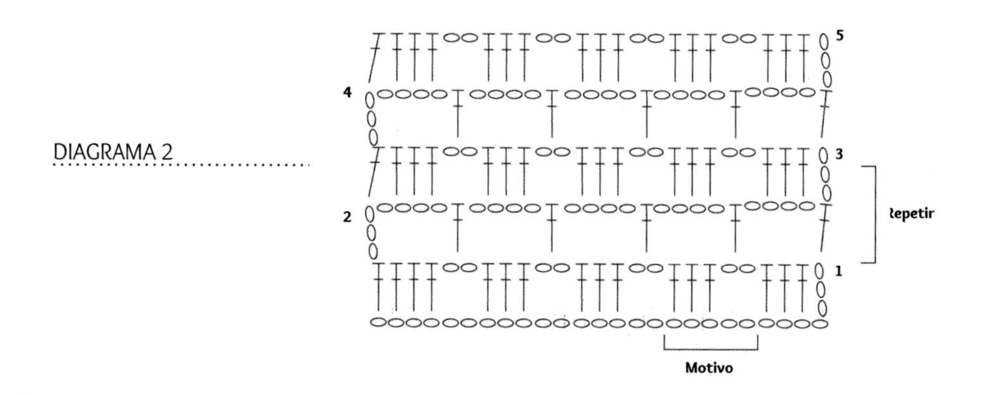

MOLDES

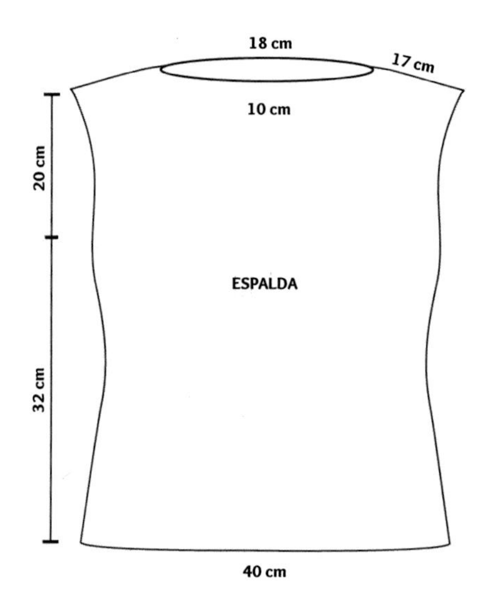

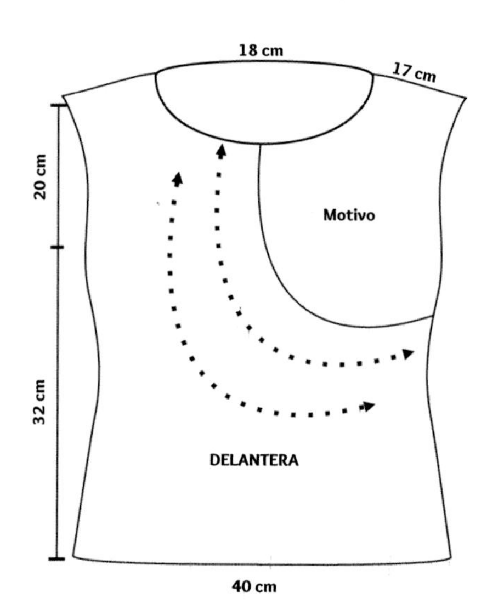

Saco con flecos

TALLE 42

Técnica: Tejido con galones.

María Fernanda Pérez

Materiales

- 600 g de merino sedificado color crudo.
- Aguja de crochet Nº 4 ½.

Realización

DELANTERA

Con merino sedificado y aguja de crochet Nº 4 ½ tejer una anilla de 10 puntos cadena y cerrarla con un punto pasado. Seguir tejiendo el galón según el DIAGRAMA 1 por 75 cm. Tejer otro galón igual. Unir ambos galones con red según el DIAGRAMA 2 y completar los extremos con abanicos según el DIAGRAMA 3. Unir ambos tramos con puntilla según el DIAGRAMA 4.

ESPALDA

Con merino sedificado y aguja de crochet Nº 4 ½ tejer una cadena de 61 puntos más 3 cadenas para subir. Continuar según el DIAGRAMA 5. A los 32 cm, cortar la hebra y rematar.

ARMADO Y DETALLES

Coser la espalda en el centro de la delantera, como lo indica el molde. Colocar flecos de 20 cm en el bajo de la delantera.

Con puentes de cadenas hacer tres presillas en la espalda. Para el cinturón, tejer una cadena de 120 cm de largo y ribetearla con una hilera de medio punto.

Para cada una de las mangas, marcar con alfileres 24 cm de largo, dejando libres 25 cm desde el borde inferior de la espalda, y tejer en redondo 9 hileras en medio punto. Para los puños, tejer en redondo 9 hileras en medio punto.

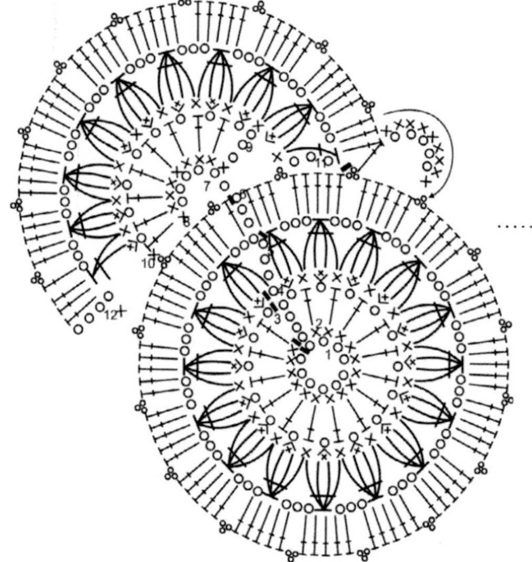

DIAGRAMA 1

DIAGRAMA 5

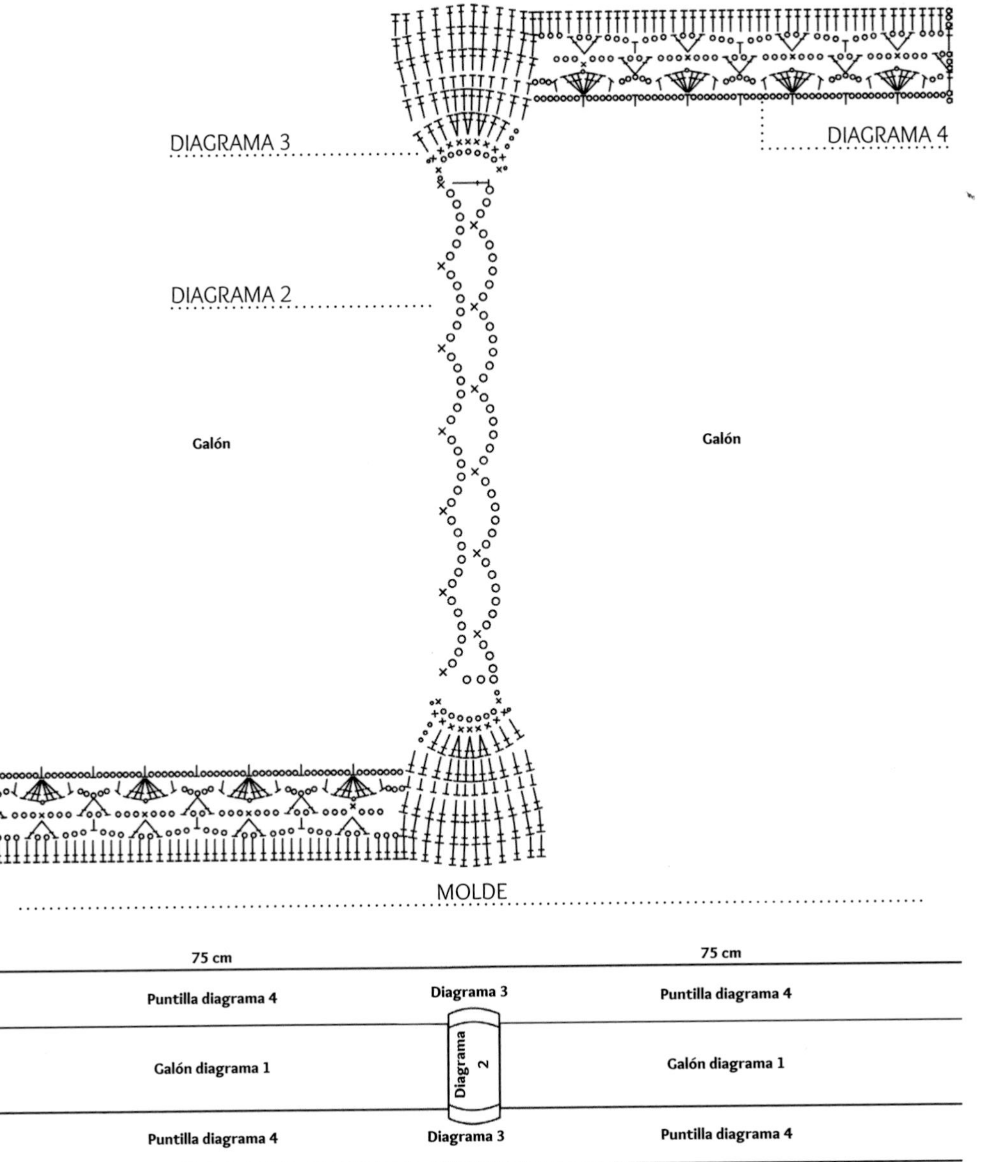

MOLDE

75 cm
75 cm
Puntilla diagrama 4
Diagrama 3
Puntilla diagrama 4
Galón diagrama 1
Diagrama 2
Galón diagrama 1
Puntilla diagrama 4
Diagrama 3
Puntilla diagrama 4
Diagrama 1
32 cm
40 cm

Pulóver escote en "v"

Materiales

- 150 g de algodón con seda color rosa salmón.
- 300 g de algodón color blanco.
- 110 g de algodón color rosa bebé.
- 150 g de algodón color verde seco.
- Aguja de crochet N° 3.

Técnica: Motivos incrustados y tramas zigzag.

Realización

Con algodón con seda y aguja de crochet N° 3 tejer una anilla de base de 6 puntos cadena. Continuar según el DIAGRAMA 1, intercalando los colores, hasta tejer 16 motivos. Unir los motivos entre sí con 2 medio punto en la última hilera según el DIAGRAMA 1; queda formado un tubo con motivos intercalados.

DELANTERA

A partir del tubo con motivos, retomar los puntos con algodón color rosa bebé y seguir tejiendo hacia las sisas según el DIAGRAMA 2, intercalando los hilados, por 9 hileras. Luego con algodón blanco tejer los arcos según el DIAGRAMA 3, para nivelar el tejido, y después la hilera de nivelación según el DIAGRAMA 4. Dividir el tejido por la mitad; dejando 1 punto en el centro, continuar tejiendo cada hombro por separado en punto vareta simple. Para el escote, sobre cada borde interno disminuir 1 punto en todas las hileras. Al completar 19 cm de largo de sisa, cortar la hebra y rematar. Retomar la tira.

ESPALDA

Igual que en la delantera, tejer según el DIAGRAMA 2, intercalando los hilados. Con algodón blanco, nivelar los picos según los DIAGRAMAS 3 y 4. Seguir en vareta simple hasta completar la altura total de sisa.

MANGAS

Ensamblar dos tiras de tres motivos según el DIAGRAMA 1 y unirlas entre sí. Retomar los puntos hacia la copa y tejer 5 hileras según el DIAGRAMA 2. Nivelar los picos según los DIAGRAMAS 3 y 4. Con algodón blanco seguir tejiendo en punto vareta; para realizar la copa de manga, en todas las hileras cerrar de cada lado 3 puntos juntos por siete veces y 2 puntos juntos por seis veces. Al completar 47 cm de largo total de manga, cortar la hebra y rematar.

ARMADO Y TERMINACIÓN

Coser los hombros y los costados del cuerpo. Con algodón rosa bebé y aguja de crochet Nº 3 retomar los puntos del ruedo y tejer una hilera en redondo según el DIAGRAMA 5. Hacer otra hilera en verde, otra en salmón, otra en blanco y por último otra hilera en verde. Coser las mangas y colocarlas, haciendo coincidir el medio con la costura de hombros y las costuras con las del cuerpo. Retomar los puntos del extremo inferior y tejer 4 hileras según el DIAGRAMA 5, intercalando los hilados. Con algodón verde ribetear el puño y el escote con puntilla según el DIAGRAMA 6.

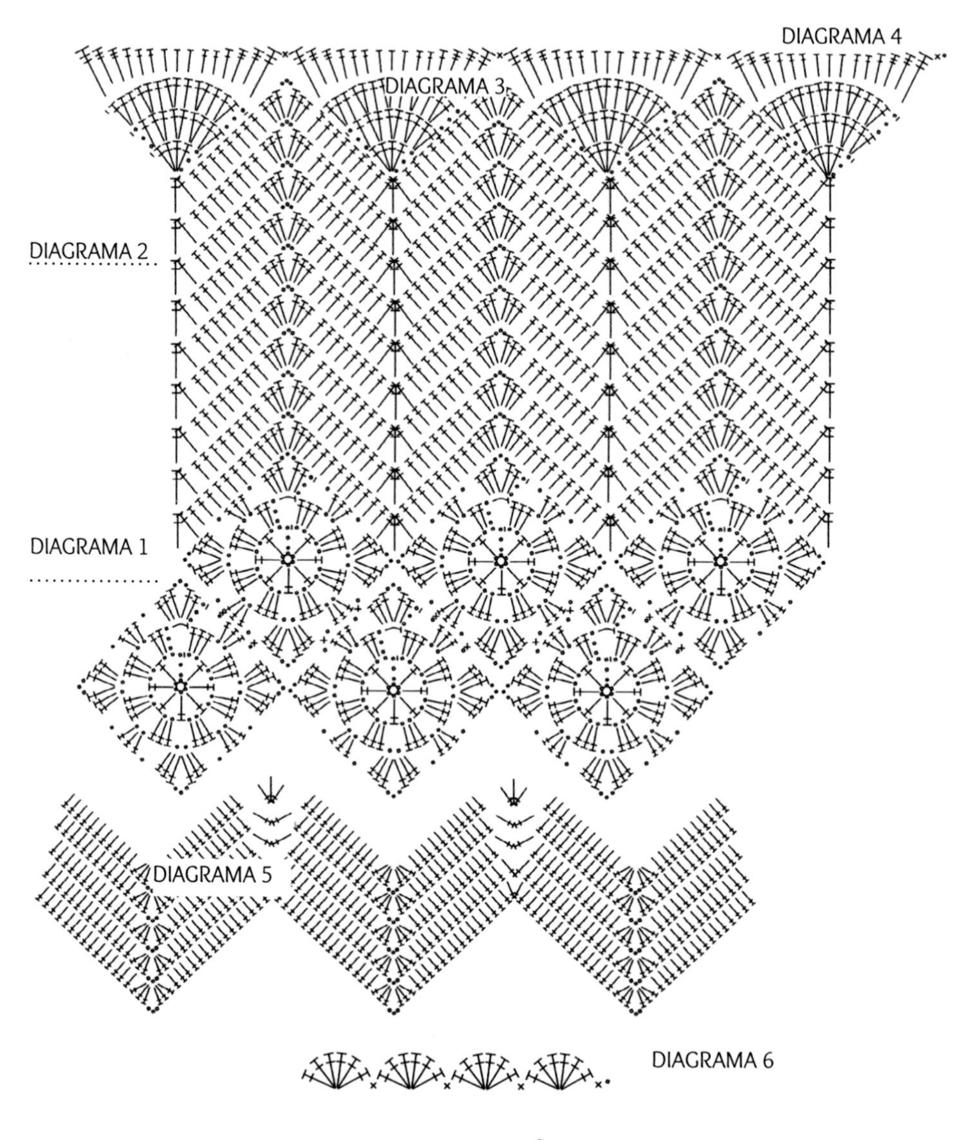

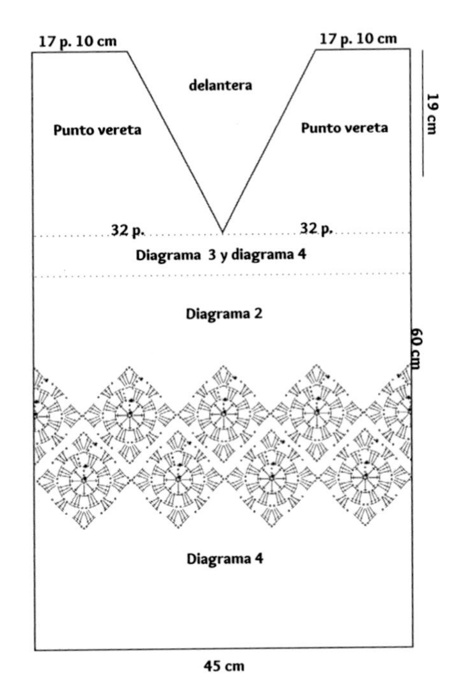
17 p. 10 cm
17 p. 10 cm
delantera
Punto vereta
Punto vereta
19 cm
32 p.
32 p.
Diagrama 3 y diagrama 4
Diagrama 2
60 cm
Diagrama 4
45 cm

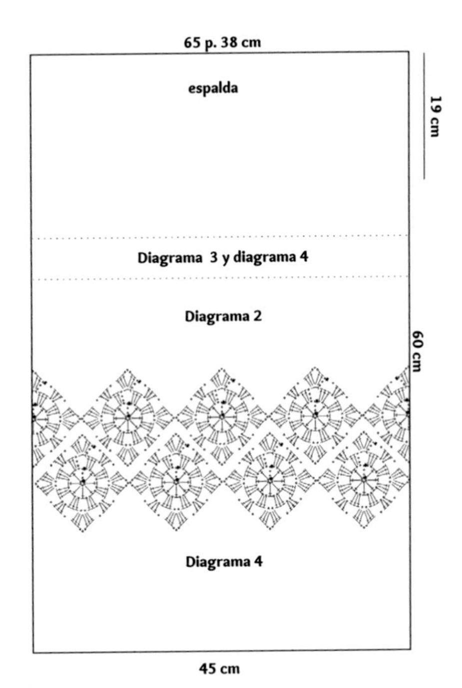
65 p. 38 cm
espalda
19 cm
Diagrama 3 y diagrama 4
Diagrama 2
60 cm
Diagrama 4
45 cm

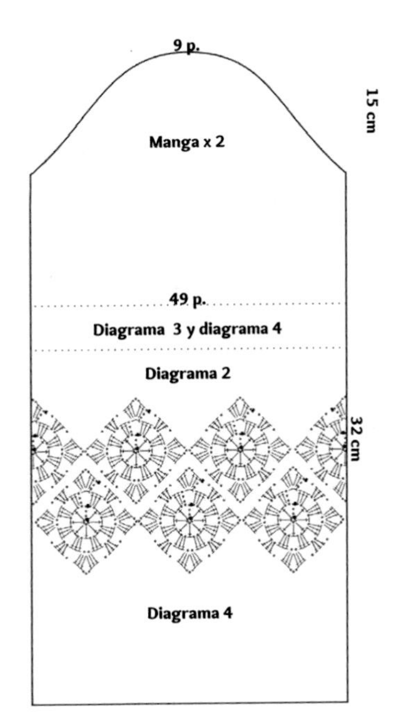
9 p.
15 cm
Manga x 2
49 p.
Diagrama 3 y diagrama 4
Diagrama 2
32 cm
Diagrama 4

Bolso con tiras

Técnica: Crochet tunecino.

Materiales

- 200 g de algodón molinado color amarillo.
- 150 g de cinta de seda color amarillo.
- 200 g de algodón color verde acqua.
- 200 g de algodón con lúrex color violeta.
- 200 g de algodón verde menta.
- Aguja tunecina Nº 4 ½.

Realización

Con aguja tunecina y algodón amarillo molinado con cinta amarilla hacer una cadena de 19 puntos más 2 cadenas para subir (15 cm). Continuar según el DIAGRAMA 1. A los 45 cm de largo total cerrar la tira con una hilera de medio punto. Tejer otra tira igual con dos hebras de algodón verde acqua.

Con dos hebras de algodón con lúrex violeta tejer, según el DIAGRAMA 2, una tira de 45 cm y cerrarla con una hilera de medio punto. Hacer otra tira igual con dos hebras de algodón verde menta.

ARMADO Y TERMINACIÓN

Coser las tiras entre sí como lo indica el molde. Tejer con cada hilado una tira de 60 cm de largo; entrecruzar las cuatro tiras y colocarlas como manijas. Con cada hilado tejer dos rosas según el DIAGRAMA 3; coserlas junto a la abertura del bolso.

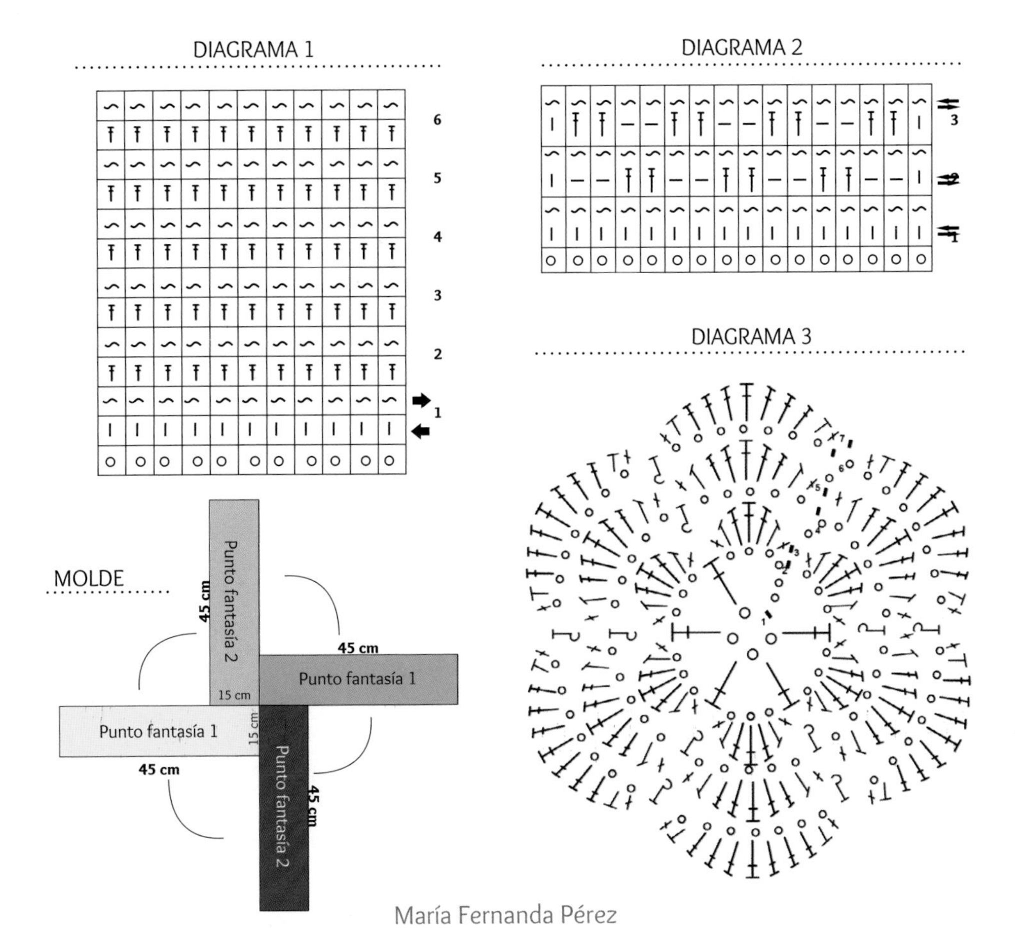

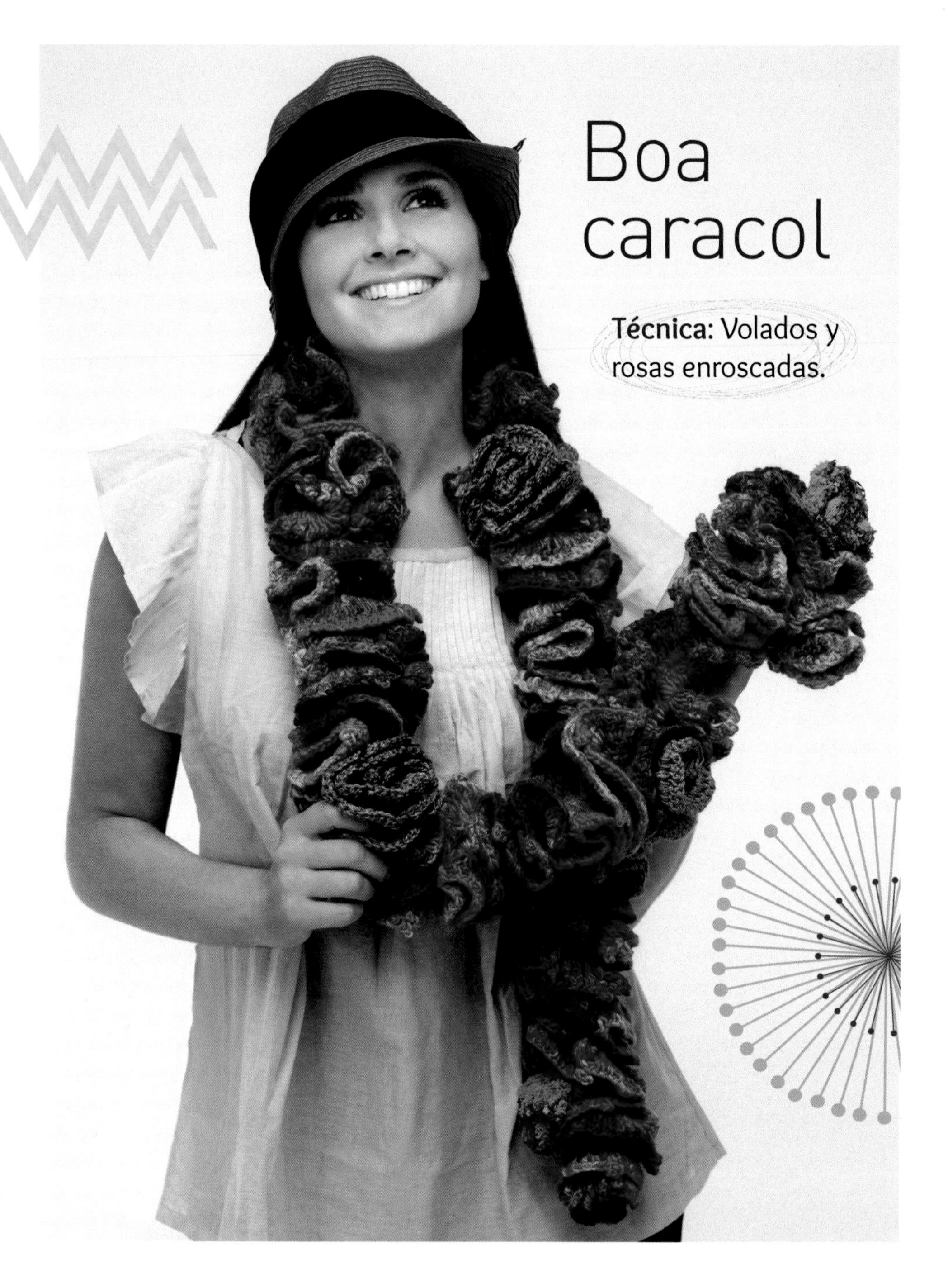

Boa caracol

Técnica: Volados y rosas enroscadas.

Materiales

- 270 g de mecha acrílica matizada en tonos rosados y violeta.
- 80 g de acrílico fino color violeta oscuro.
- 70 g de acrílico y algodón molinado color orquídea.
- 50 g de poliamida color lila.
- Aguja para crochet N° 3 ½.

Realización

BOA

Con aguja para crochet N° 3 ½ y mecha acrílica matizada tejer 201 puntos cadena más 3 cadenas al aire que equivalen a una vareta. Continuar tejiendo la primera hilera según el DIAGRAMA 1.

Al llegar al último punto de la primera hilera, sin girar la labor, hincar la aguja sobre la hebra libre de cada punto cadena y tejer de este modo hasta terminar la hilera; realizar una cadena al aire y 8 varetas simples en el último punto. Cerrar la hilera con un punto pasado sobre la primera de las 3 cadenas de inicio de la primera hilera.

Tejer la segunda y la tercera hilera realizando los aumentos que indica el DIAGRAMA y cerrando cada hilera con un punto pasado. Al finalizar, cortar la hebra y rematar.

ROSAS

Con aguja de crochet N° 3 ½ tejer según el DIAGRAMA 2 seis rosas: dos con acrílico fino doble, dos con acrílico y algodón molinado y otras dos con poliamida. Enroscar cada rosa sobre sí misma y coserlas con puntadas invisibles.

TERMINACIÓN

Aplicar las rosas entre los volados de la boa, alternando los tonos.

DIAGRAMA 2

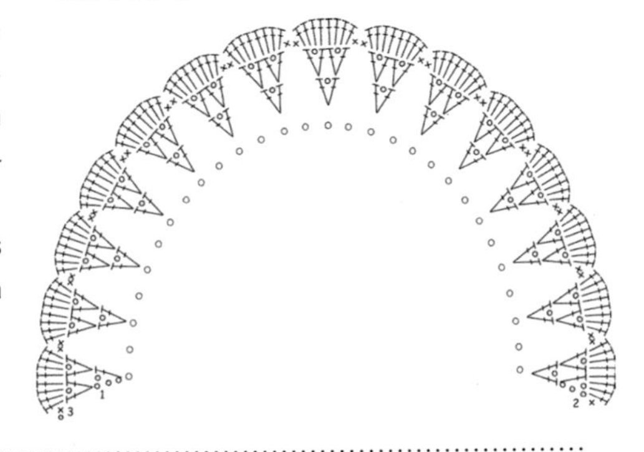

DIAGRAMA 1

201 cadenas

Boina

Materiales

- 180 g de acrílico molinado color azulino.
- Aguja de crochet Nº 3 ½.

Técnica: Tejido circular con aumentos internos y tramas con relieve.

Realización

CASQUETE

Con aguja de crochet Nº 3 ½ y acrílico molinado hacer una anilla de 6 puntos cadena y cerrarla con un punto pasado. Levantar 3 cadenas correspondientes a la primera vareta y continuar según el DIAGRAMA 1, cerrando cada hilera con un punto pasado. Aplicar los aumentos que indica el DIAGRAMA hasta la decimocuarta hilera y luego disminuir a partir de la desimosexta hilera. Al completar la vigesimocuarta hilera, cerrar con un punto pasado y rematar.

VISERA

Con acrílico molinado y aguja Nº 3 ½ levantar 10 cadenas más 1 cadena para subir. Continuar según el DIAGRAMA 2.

BOTÓN PERUANO

Con aguja de crochet Nº 3 ½ y acrílico molinado tejer un botón peruano como se explica en la pág. 25.

ARMADO Y TERMINACIÓN

Coser la visera al casquete haciendo coincidir los bordes y colocar el botón peruano en el centro del casquete.

DIAGRAMA 1

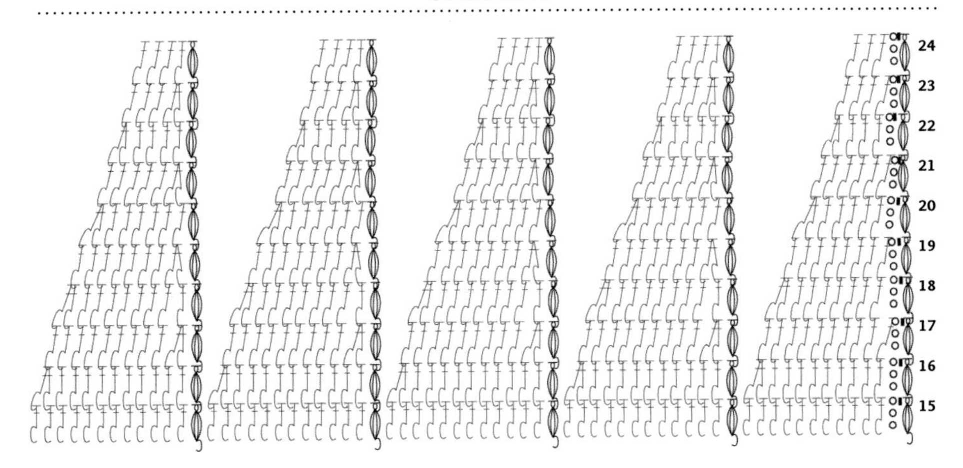

DIAGRAMA 1 b

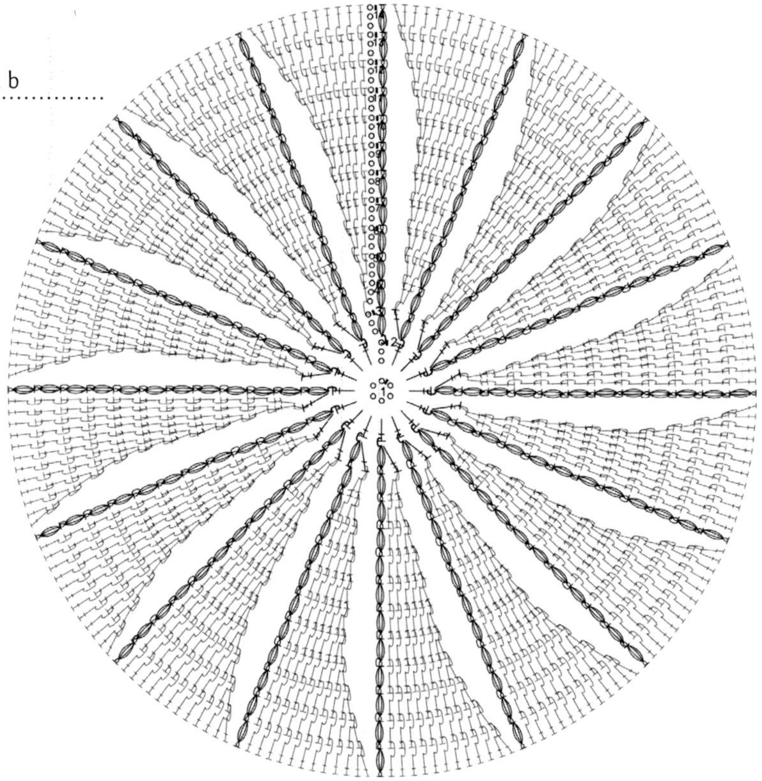

DIAGRAMA 2

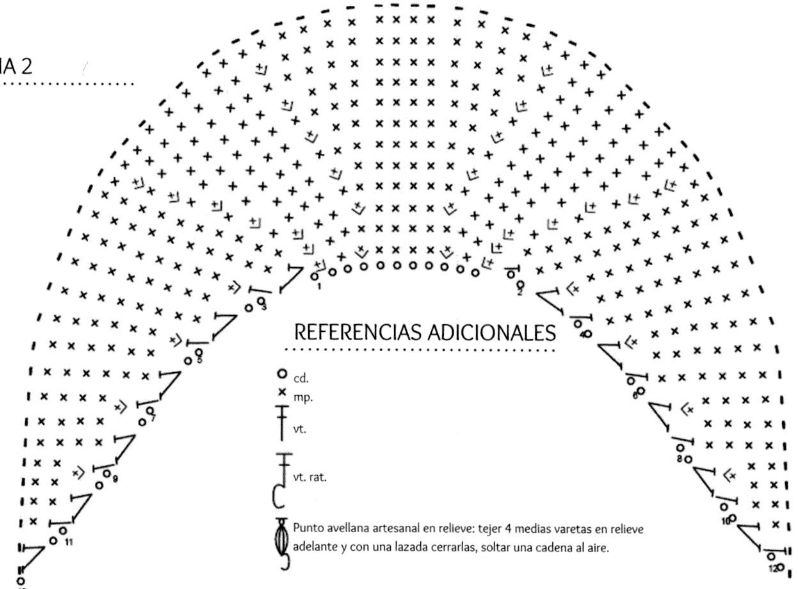

REFERENCIAS ADICIONALES

cd.

mp.

vt.

vt. rat.

Punto avellana artesanal en relieve: tejer 4 medias varetas en relieve adelante y con una lazada cerrarlas, soltar una cadena al aire.

Tejer 2 mp en un mismo punto de base

mvt.

Bufanda

Técnica: Tejido lineal y tramas con torzadas.

Materiales

- 150 g de acrílico molinado color azulino.
- 50 g de hilado fantasía con pelo sedificado.

Realización

Con aguja de crochet Nº 3 ½ y acrílico molinado color azulino tejer una cadena de base de 27 puntos más 3 cadenas para subir. Continuar según el DIAGRAMA. Hacer la primera hilera en punto vareta simple y a partir de la segunda hilera comenzar a tejer las torzadas de rombos. A 160 cm del inicio *tejer 2 hileras en punto vareta simple con hilado fantasía y una hilera con acrílico molinado*; repetir de * a * una vez más. Por último, con hilado fantasía tejer una hilera en medio punto y una hilera en punto flecos. Retomar los puntos de la cadena de base y tejer el extremo contrario de la misma manera.

REFERENCIAS

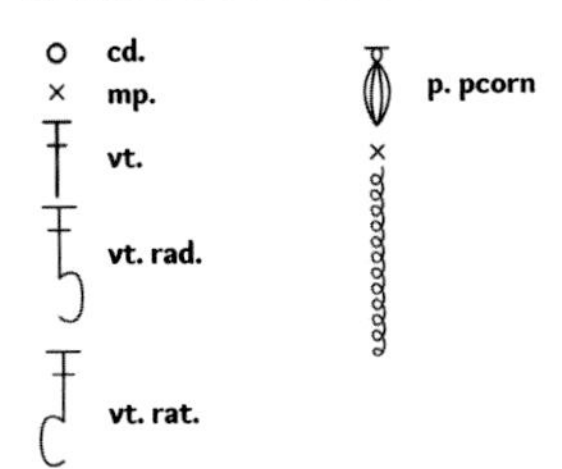

DIAGRAMA

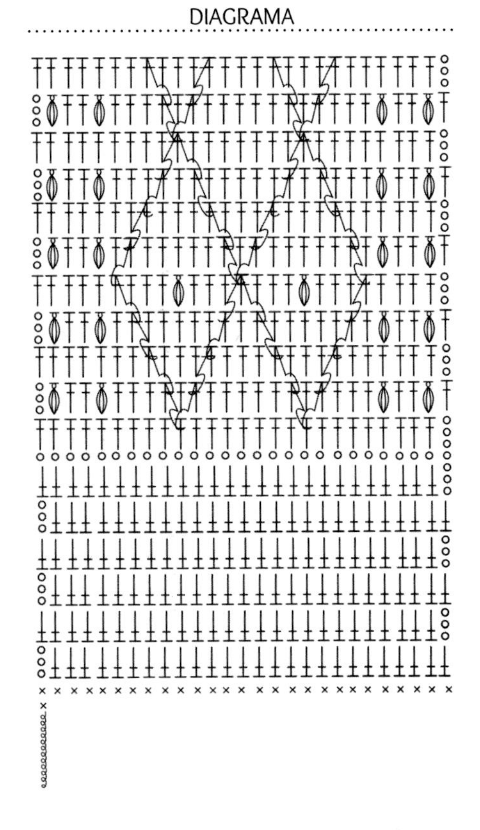

MOLDE

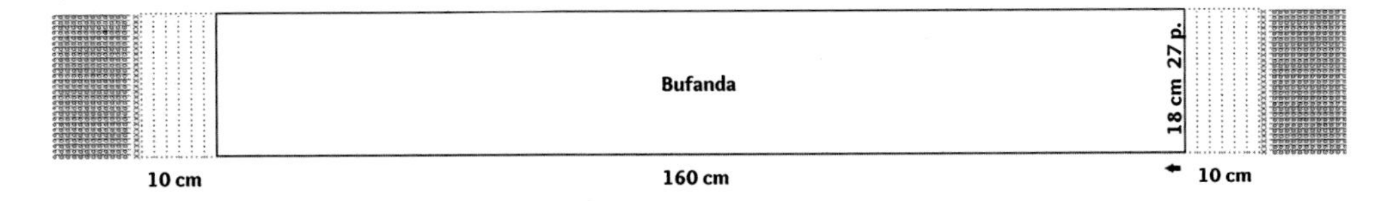

María Fernanda Pérez

Chaleco de piel

TALLE 42

Técnica: Punto piel y tramas caladas.

Materiales

- 400 g de hilado fantasía. con pelo y lúrex color ocre.
- 250 g de merino sedificado color beige.
- Agujas de crochet N° 4 y Nº 5.
- 2 m de cinta de nobuk.

Realización

ESPALDA

Con aguja de crochet Nº 4 y merino sedificado hacer una cadena de 54 puntos más 3 cadenas para subir. Continuar según el DIAGRAMA 1 por 15 cm. A partir de la tercera hilera disminuir 1 punto de cada lado, cada 2 hileras, por tres veces. A los 15 cm continuar tejiendo en punto elástico según el DIAGRAMA 2 por 10 cm. A los 25 cm de largo total retomar el punto del DIAGRAMA 1 y tejer por 12 cm más. Para las sisas, a los 37 cm de largo total hacer 3 puntos pasados al comienzo de la hilera y dejar sin tejer 3 puntos al final. Para profundizar las sisas, realizar disminuciones según el DIAGRAMA 4.

DELANTERAS

Con aguja de crochet Nº 5 e hilado fantasía con pelo hacer 27 puntos cadena y continuar en punto piel según el DIAGRAMA 3. A partir de la tercera hilera disminuir 1 punto sobre el margen izquierdo, cada 2 hileras, por tres veces. A los 15 cm cambiar de hilado y con merino sedificado tejer en punto elástico según el DIAGRAMA 2 por 10 cm. A los 25 cm de largo total cambiar de hilado y con fantasía con pelo seguir tejiendo en punto piel según el DIAGRAMA 3 por 4 cm. Para el escote, disminuir 1 punto hilera por medio por 5 veces. A los 47 cm de largo total hacer 3 puntos pasados al comienzo de la hilera sobre el borde izquierdo. Continuar disminuyendo, hilera por medio, 2 puntos por tres veces y 1 punto por cuatro veces.

ARMADO Y TERMINACIÓN

Coser los hombros y los costados del cuerpo. Con aguja de crochet Nº 5 y merino sedificado tejer alrededor del escote y del ruedo 2 hileras de punto media vareta y una hilera de medio punto. Levantar los 56 puntos alrededor de las sisas y tejer 3 hileras en punto elástico según el DIAGRAMA 2. Colocar la cinta de nobuk.

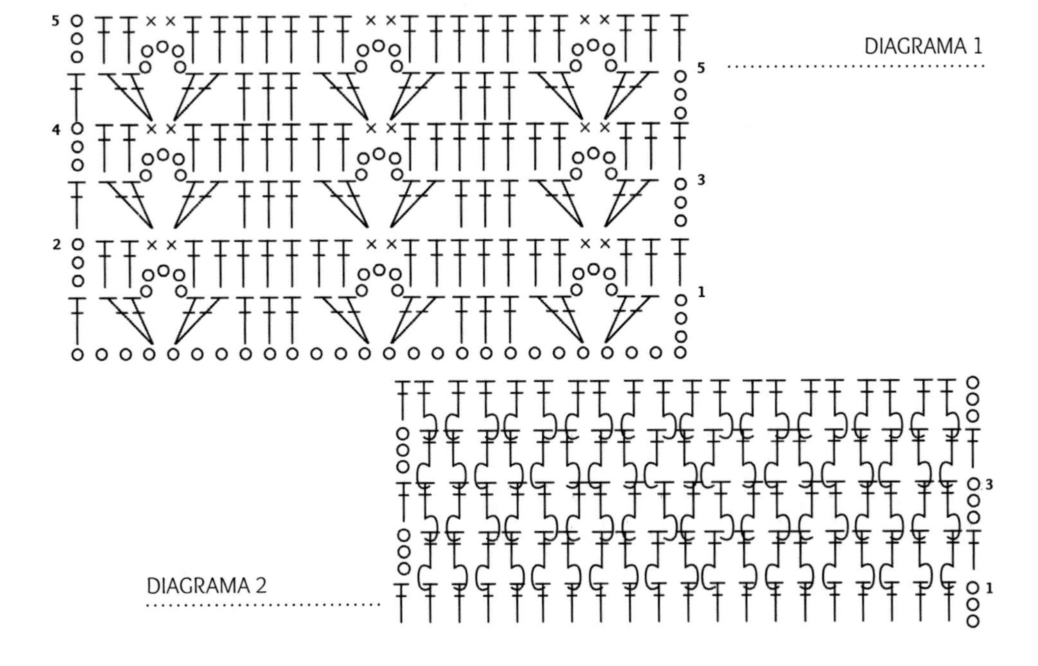

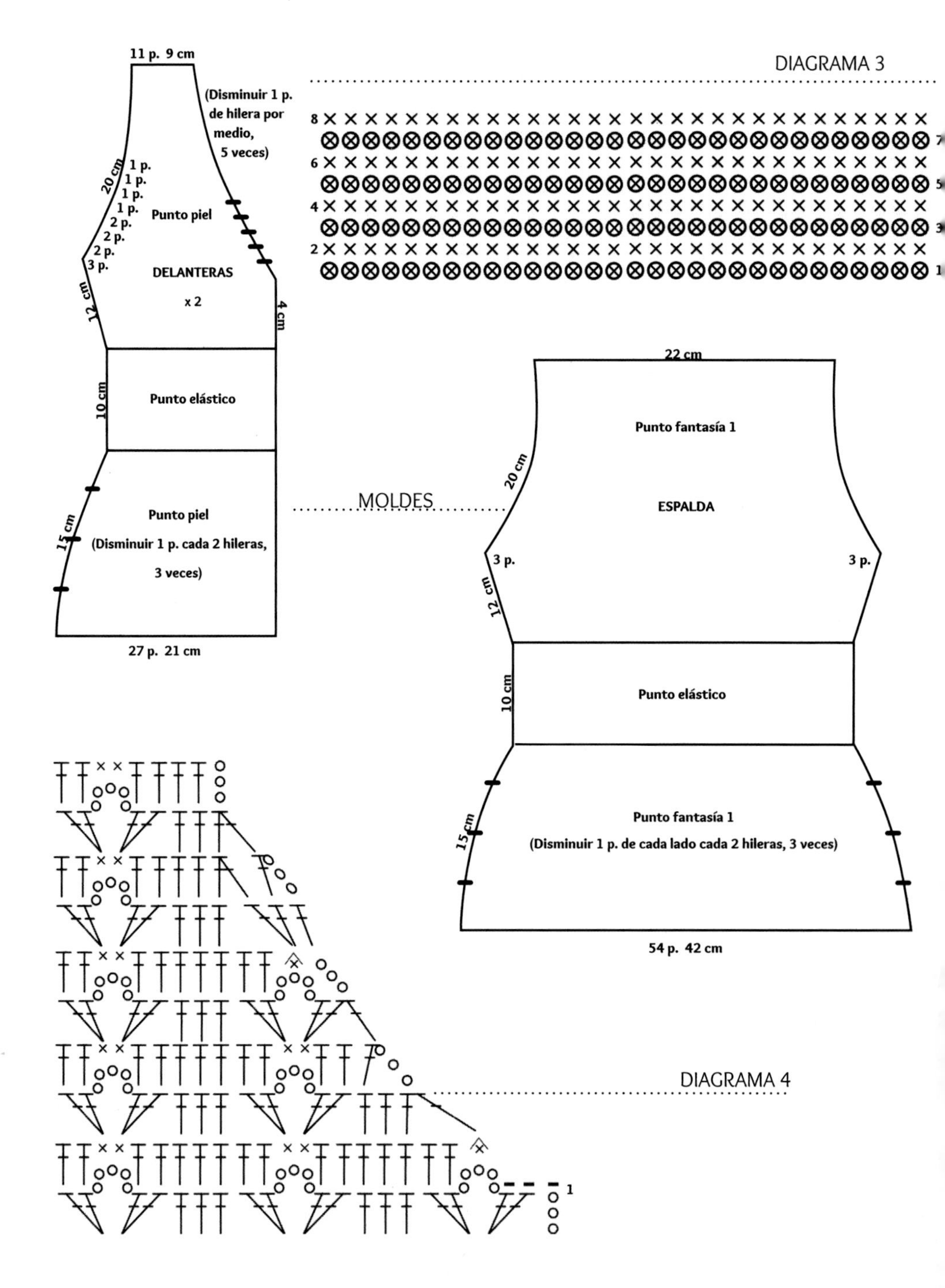
11 p. 9 cm
(Disminuir 1 p. de hilera por medio, 5 veces)
20 cm
1 p.
1 p.
1 p.
1 p.
2 p.
2 p.
2 p.
3 p.
Punto piel
DELANTERAS
x 2
12 cm
4 cm
10 cm
Punto elástico
15 cm
Punto piel
(Disminuir 1 p. cada 2 hileras, 3 veces)
27 p. 21 cm
DIAGRAMA 3
8
6
4
2
7
5
3
1
MOLDES
22 cm
Punto fantasía 1
20 cm
ESPALDA
3 p.
3 p.
12 cm
10 cm
Punto elástico
15 cm
Punto fantasía 1
(Disminuir 1 p. de cada lado cada 2 hileras, 3 veces)
54 p. 42 cm
DIAGRAMA 4
1

Pulóver con torzadas

TALLE 42

Técnica: Tramas con torzadas.

María Fernanda Pérez

Materiales

- 600 g de acrílico molinado color verde medio.
- Agujas de crochet N° 4.

Realización

DELANTERA

La delantera de este pulóver se teje desde la cintura hacia los hombros. Con aguja de crochet Nº 4 y acrílico molinado hacer una cadena de 65 puntos más 3 cadenas correspondientes a la primera vareta simple. Continuar tejiendo en punto elástico según el DIAGRAMA 1 por 6 cm. Luego distribuir los puntos de la siguiente manera: 16 punto vareta simple, 33 puntos para la torzada central según el DIAGRAMA 2 y 16 puntos vareta simple. Para las sisas, a 40 cm del inicio hacer 5 puntos pasados al comienzo de la hilera y dejar 5 puntos sin tejer al final. Para profundizar las sisas, disminuir 1 punto de cada lado, hilera por medio, por dos veces. Para el escote, a 46 cm del inicio dejar sin tejer los 3 puntos centrales y seguir tejiendo cada hombro por separado, cerrando sobre el margen interno 3 puntos juntos por dos veces y disminuyendo 1 punto hilera por medio por dos veces. Tejer el otro hombro igual. A los 21 cm de largo de sisas, cortar la hebra y rematar.

ESPALDA

Con aguja de crochet Nº 4 y acrílico molinado hacer una cadena de 65 puntos más 3 cadenas correspondientes a la primera vareta simple. Continuar tejiendo en punto elástico según el DIAGRAMA 1 por 6 cm. Seguir tejiendo en punto vareta simple por 40 cm. Para las sisas, hacer 5 puntos pasados al comienzo de la hilera y dejar sin tejer 5 puntos al final. Continuar disminuyendo 1 punto de cada lado, hilera por medio, por dos veces. A los 21 cm de largo de sisas, cortar la hebra y rematar.

MANGAS

Con aguja de crochet Nº 4 y acrílico molinado hacer una cadena de 38 puntos más 3 cadenas para subir. Continuar tejiendo en punto elástico según el DIAGRAMA 1 por 6 cm. Luego distribuir los puntos de la siguiente manera: 12 puntos vareta simple, 14 puntos para la torzada según el DIAGRAMA 3 y 12 puntos vareta simple. A partir de la tercera hilera desde el puño, aumentar 1 punto de cada lado, cada 2 hileras, por catorce veces. A los 55 cm de largo total de manga, cortar la hebra y rematar. Tejer la otra manga igual.

ARMADO Y TERMINACIÓN

Coser los hombros y los costados del cuerpo. Coser las mangas y colocarlas, haciendo coincidir el medio con la costura de hombros y las costuras con las del cuerpo. Con aguja de crochet Nº 4 y acrílico molinado tejer una cadena de 12 puntos más 3 cadenas para subir y tejer en punto elástico según el DIAGRAMA 1 por 60 cm. Coser esta tira en el escote cruzando los extremos en el frente. Cortar la hebra y rematar.

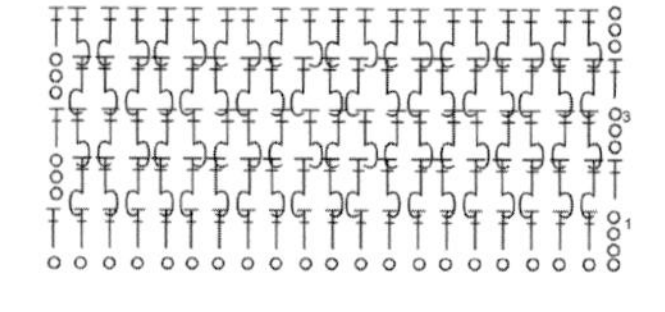

DIAGRAMA 1

DIAGRAMA 2

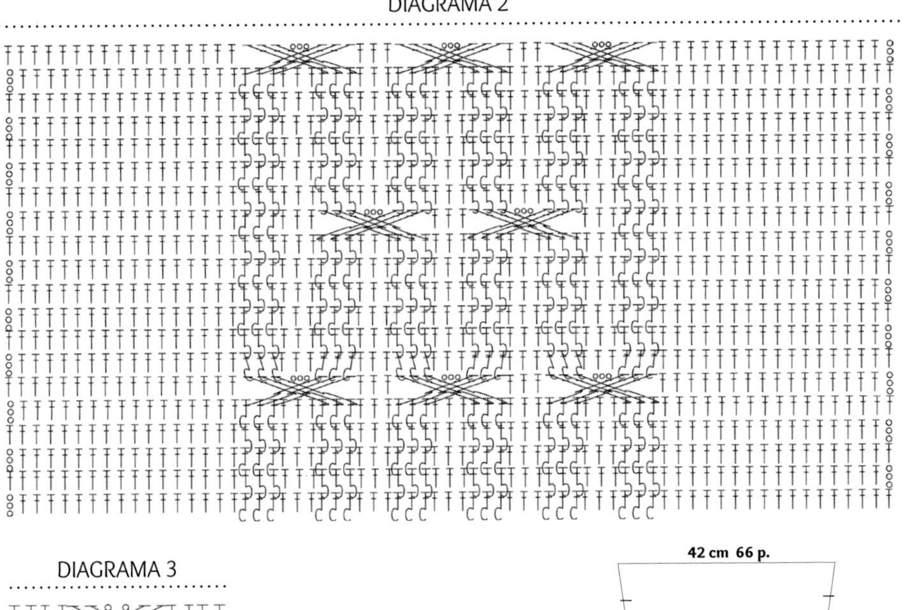

DIAGRAMA 3

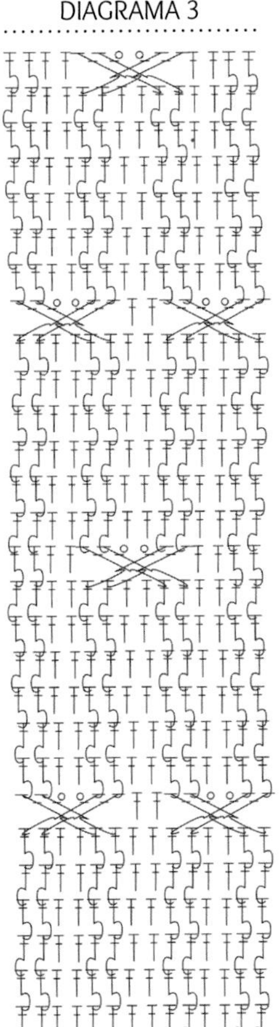

MOLDES

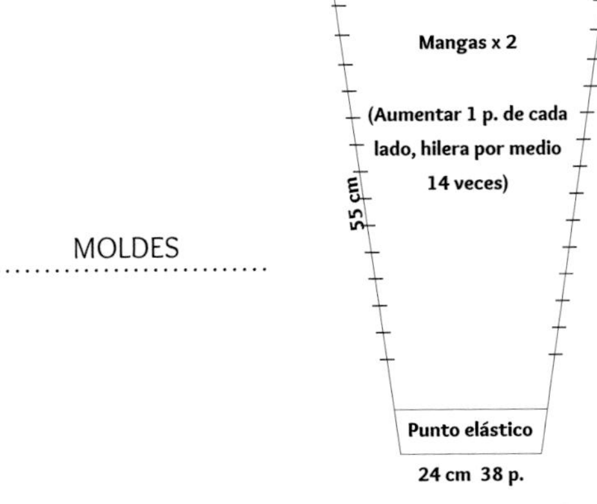

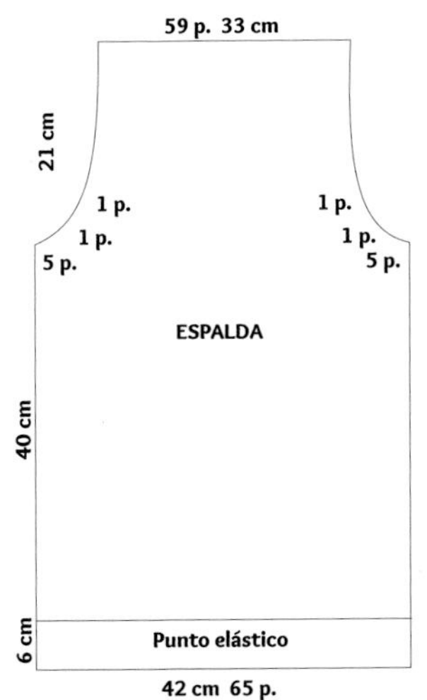

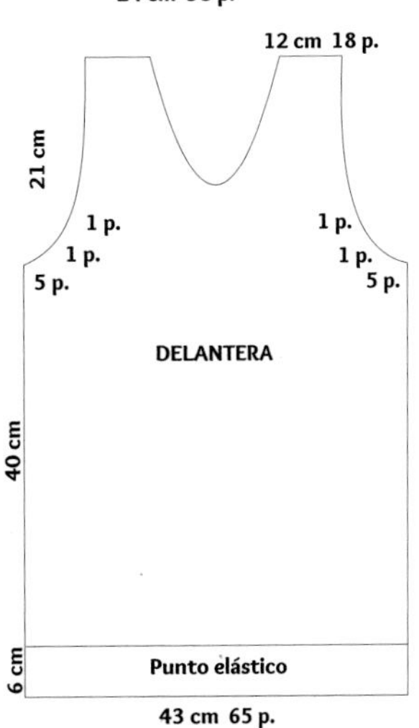

TALLE
42
Técnica: Tricot y crochet de horquilla.

Polera con canesú de encaje

Materiales

- 450 g de cinta de lana color petróleo.
- Agujas de tricot Nº 5 ½.
- Aguja de crochet Nº 4 ½.
- Horquilla.

Puntos de tricot empleados

PUNTO JERSEY

Primera hilera y todas las impares: Tejer todos los puntos al derecho.
Segunda hilera y todas las pares: Tejer todos los puntos al revés.

PUNTO ELÁSTICO 2 Y 2

Primera hilera y todas las impares: Tejer 2 puntos al derecho y 2 puntos al revés.
Segunda hilera y todas las pares: Tejer los puntos como se presentan.

Realización

DELANTERA

Con cinta de lana colocar 62 puntos en agujas de tricot Nº 5 ½ y tejer en punto elástico 2 y 2 por 7 cm. Continuar en punto jersey por 33 cm. Para las sisas, a los 40 cm de largo total, cerrar los primeros 7 puntos y tejer los 55 puntos restantes. En la siguiente hilera, cerrar los primeros 7 puntos y completar la hilera. Seguir tejiendo en punto jersey por 3 cm más y cerrar los puntos como se presentan.

ESPALDA

Con cinta de lana colocar 62 puntos en agujas de tricot Nº 5 ½ y tejer en punto elástico 2 y 2 por 7 cm. Continuar en punto jersey por 36 cm. A los 43 cm de largo total cerrar los puntos como se presentan.

MANGAS

Con cinta de lana colocar 34 puntos en agujas de tricot Nº 5 ½ y tejer en punto elástico 2 y 2 por 7 cm. Seguir tejiendo en punto jersey 6 hileras. A partir de la séptima hilera, aumentar 1 punto de cada lado, cada 6 hileras, por cinco veces. A los 42 cm desde el puño, cerrar los puntos como se presentan.

CANESÚ

Con cinta de lana, aguja de crochet Nº4 ½ y horquilla tejer tres tiras de encaje simple de 6 cm de ancho: la primera de 114 bucles, la segunda de 150 bucles y la última de 180 bucles. Unir los bucles entre sí como lo indica el DIAGRAMA 1.

ARMADO, CUELLO Y TERMINACIÓN

Coser los costados del cuerpo. Coser las mangas. Unir al cuerpo el canesú y las mangas tejiendo la última hilera del DIAGRAMA 1.
Para el cuello, con cinta de lana colocar 66 puntos en agujas de tricot Nº 5 ½ y tejer en punto elástico 2 y 2 por 10 cm. Cerrar los puntos y coser el cuello en la base del canesú.

Cuello

Tira de 114 bucles

Tira de 150 bucles

Tira de 180 bucles

DIAGRAMA

44 p. 30 cm

Mangas
x 2

42 cm

Aumentar 1 p. de cada lado
cada 6 hileras, 5 veces

7 cm

34 p. 23 cm

MOLDES

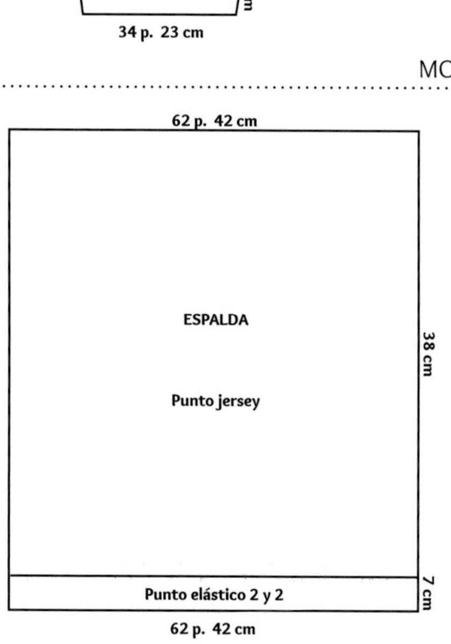

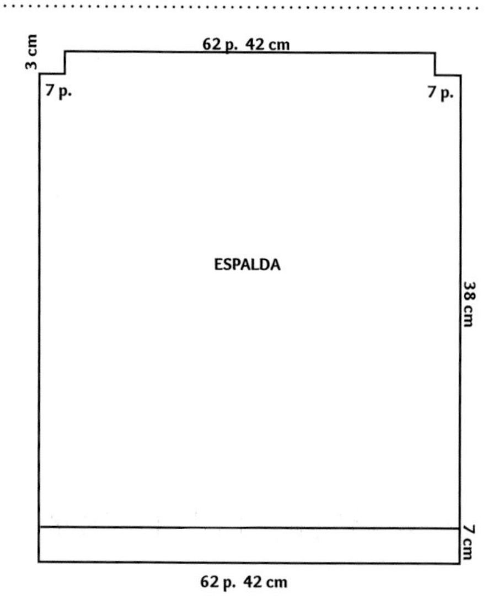

Pulóver con elástico ancho

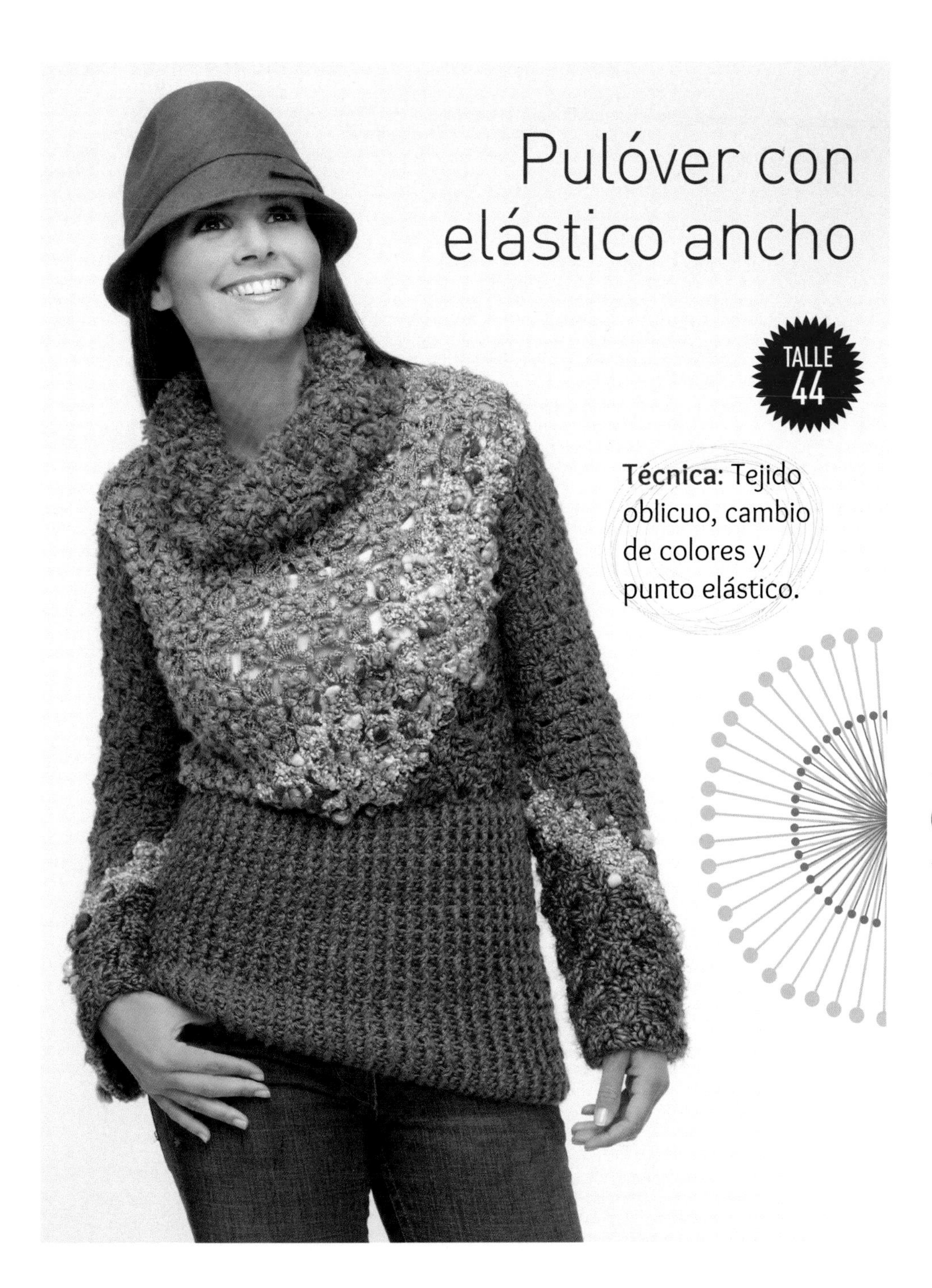

Técnica: Tejido oblicuo, cambio de colores y punto elástico.

María Fernanda Pérez

Materiales

- 300 g de merino sedificado color gris acero.
- 100 g de mecha con lúrex color gris topo.
- 100 g de acrílico con pompones en tonos grises.
- 300 g de acrílico con motas color gris medio.
- 100 g de hilado fantasía con pelo acrílico.
- Agujas de crochet N° 4 ½ y Nº 5.

Realización

DELANTERA

La delantera de este pulóver se teje desde la cintura hacia los hombros. Con aguja de crochet Nº 4 ½ y merino sedificado gris acero hacer una cadena de 56 puntos más 3 cadenas correspondientes a la primera vareta simple. Continuar tejiendo en punto elástico según el DIAGRAMA 1 por 30 cm.

Luego, con aguja de crochet Nº 5 tejer en punto de bloques según el DIAGRAMA 2 cambiando los hilados así: hasta la sexta hilera con mecha con lúrex gris topo, de la séptima hilera a la undécima con acrílico con pompones y de la duodécima hilera a la vigesimocuarta con acrílico con motas. A partir de la decimoquinta hilera comenzar el escote. Al completar la vigesimocuarta hilera, cortar la hebra y rematar.

ESPALDA

Con aguja de crochet Nº 4 ½ y merino sedificado gris acero hacer una cadena de 56 puntos más 3 cadenas correspondientes a la primera vareta simple. Seguir tejiendo en punto elástico según el DIAGRAMA 1 por 30 cm.

Luego, con aguja de crochet Nº 5 tejer en punto de bloques según el DIAGRAMA 2, igual que en la delantera, pero siempre con acrílico con motas, sin cambiar de hilado. Al llegar a la decimoquinta hilera continuar tejiendo sin realizar la cavadura del escote. Al terminar la vigesimocuarta hilera, cortar la hebra y rematar.

MANGAS

Con aguja de crochet Nº 5 y mecha con lúrex tejer en punto de bloques diagonales según el DIAGRAMA 3. A partir de la séptima hilera cambiar de hilado y tejer 2 hileras con acrílico con pompones. Luego cambiar nuevamente de hilado y seguir con merino sedificado. A partir de la decimocuarta hilera, continuar tejiendo con aguja de crochet Nº 4 ½ sin aumentar el ancho de la manga, pero incrementando el largo. A los 50 cm de largo total de manga cortar la hebra y rematar. Tejer la otra manga igual.

ARMADO Y TERMINACIÓN

Coser los hombros y los costados del cuerpo. Coser las mangas y colocarlas, haciendo coincidir el medio con la costura de hombros y las costuras con las del cuerpo. Con aguja de crochet Nº 4 ½ e hilado fantasía con pelo acrílico levantar 48 puntos vareta alrededor del escote y tejer 3 hileras, cerrando cada una con un punto pasado. Hacer 4 hileras más con aguja de crochet Nº 5. Cortar la hebra y rematar.

DIAGRAMA 1

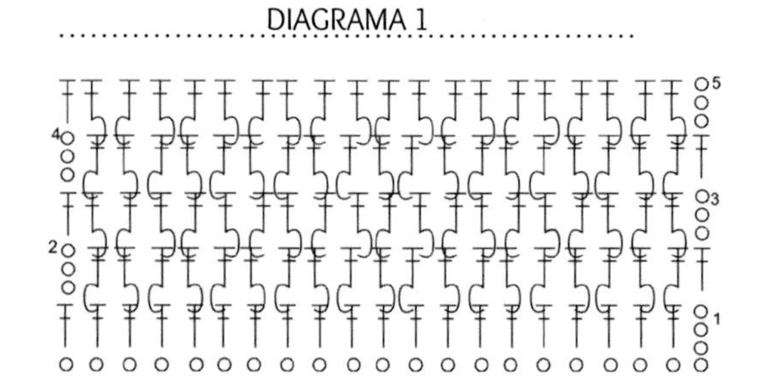

DIAGRAMA 2

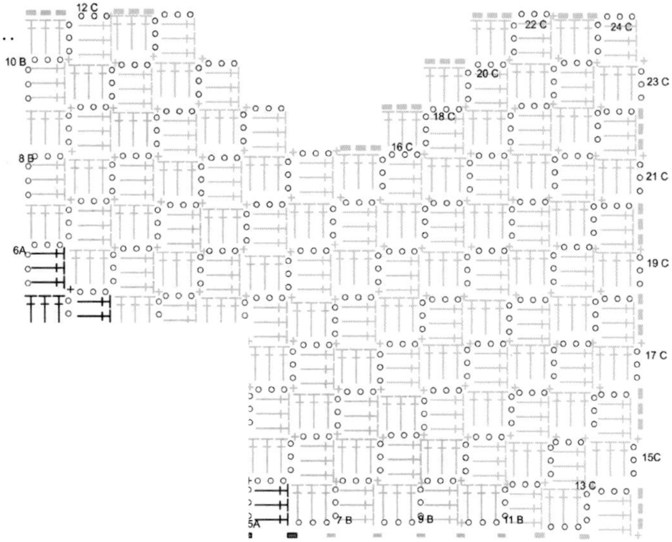

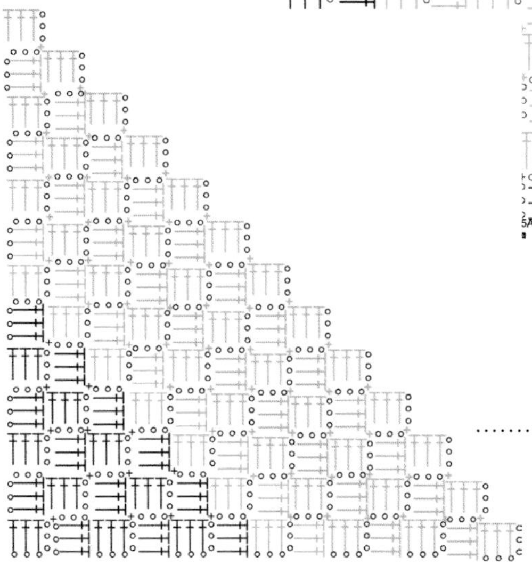

12 C
10 B
8 B
6A
22 C
24 C
20 C
23 C
18 C
16 C
21 C
19 C
17 C
15C
13 C
5A
7 B
9 B
11 B

DIAGRAMA 3

MOLDES

13 cm
16 cm
13 cm
20 cm
DELANTERA
Punto de bloques diagonales
Punto elástico
42 cm 56 p.

42 cm
20 cm
ESPALDA
Punto de bloques diagonales
Punto elástico
42 cm 56 p.

40 cm
Mangas
x 2
50 cm
40 cm

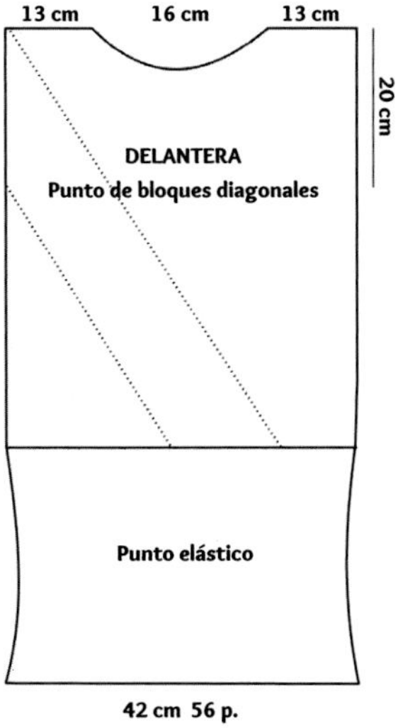

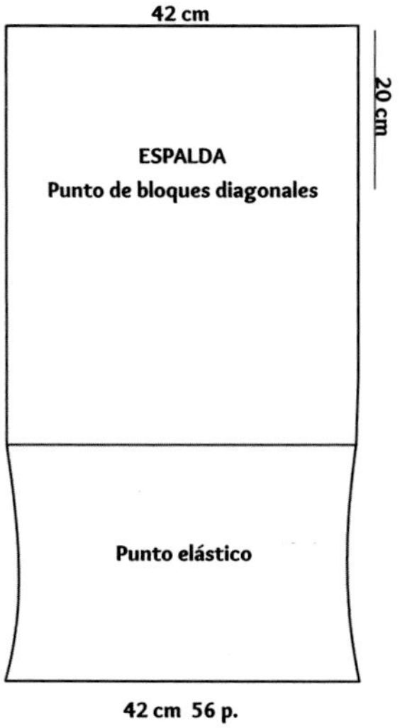

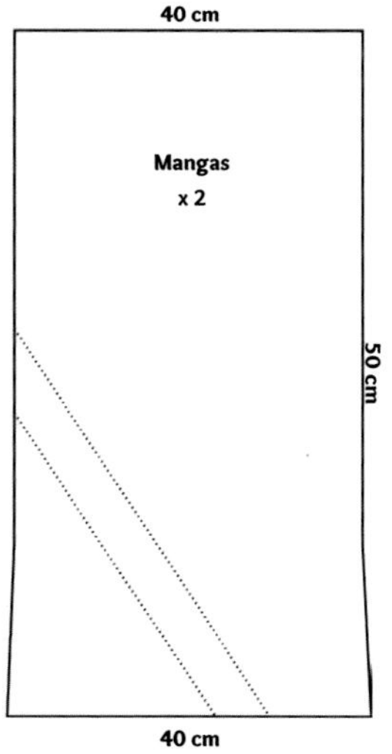

Sacón circular

Técnica: Tejido circular con aumentos internos.

Materiales

- 400 g de acrílico con pelo sedificado matizado en tonos ocre, rosado y naranjado.
- 200 g de mecha con pompones en tonos rosados.
- 150 g de acrílico con botón color bordó.
- 250 g de mecha acrílica con cinta fantasía matizada en tonos colorados y fucsias.
- 100 g de acrílico molinado color magenta.
- Agujas de crochet N° 4 ½ y Nº 5.

Realización

ESPALDA Y DELANTERA

Este sacón se realiza con la técnica de tejido circular, partiendo de un motivo central que se ubica en el centro de la espalda. A medida que se avanza en el tejido, se aplican aumentos seriados uniformes. Con aguja de crochet Nº 5 y acrílico con pelo sedificado tejer una anilla ajustable y levantar 3 cadenas correspondientes a la primera vareta simple. Continuar según el DIAGRAMA 1, cerrando cada hilera con un punto pasado e intercalando los hilados de la siguiente manera: 2 hileras con acrílico con pelo sedificado, *2 hileras con mecha con pompones, 1 hilera con acrílico con pelo sedificado, 2 hileras con acrílico con botón, 1 hilera con acrílico con pelo sedificado, 2 hileras con mecha acrílica con cinta fantasía, 1 hilera con acrílico con pelo sedificado*; repetir de * a * y terminar con 1 hilera con mecha con pompones, 1 hilera con acrílico con pelo sedificado, 2 hileras con mecha con pompones y 1 hilera con acrílico con pelo sedificado. Al llegar a la decimotercera hilera, hacer las sisas y continuar tejiendo hasta completar la vigesimoquinta hilera. Por último, con aguja de crochet Nº 4 ½ y acrílico molinado hacer la puntilla alrededor de todo el perímetro según el DIAGRAMA 2.

MANGAS

Con aguja de crochet Nº 5 y acrílico con botón retomar los puntos de ambas sisas y continuar tejiendo en punto vareta simple, intercalando los hilados de la siguiente manera: *2 hileras con acrílico con botón, 1 hilera con acrílico con pelo sedificado, 2 hileras con mecha acrílica con cinta fantasía,1 hilera con acrílico con pelo sedificado, 2 hileras con mecha con pompones, 1 hilera con acrílico con pelo sedificado*; repetir de * a * y finalizar con 2 hileras con acrílico con botón y 1 hilera con acrílico con pelo sedificado. A los 40 cm de largo total de manga, cortar la hebra y rematar.

María Fernanda Pérez

DIAGRAMA 2

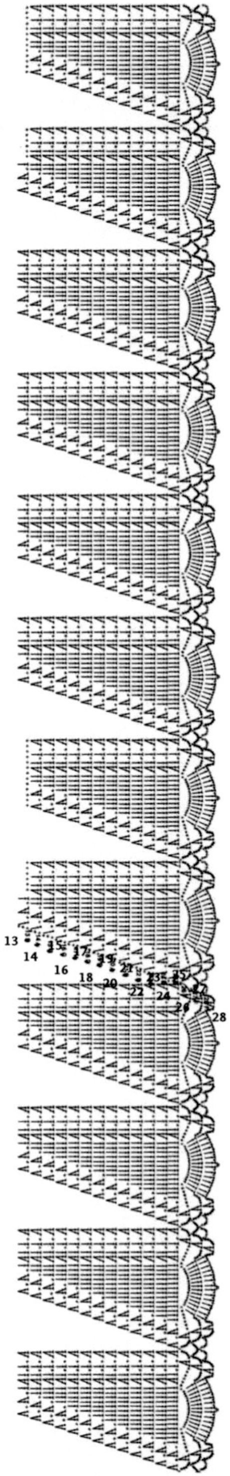

DIAGRAMA 1

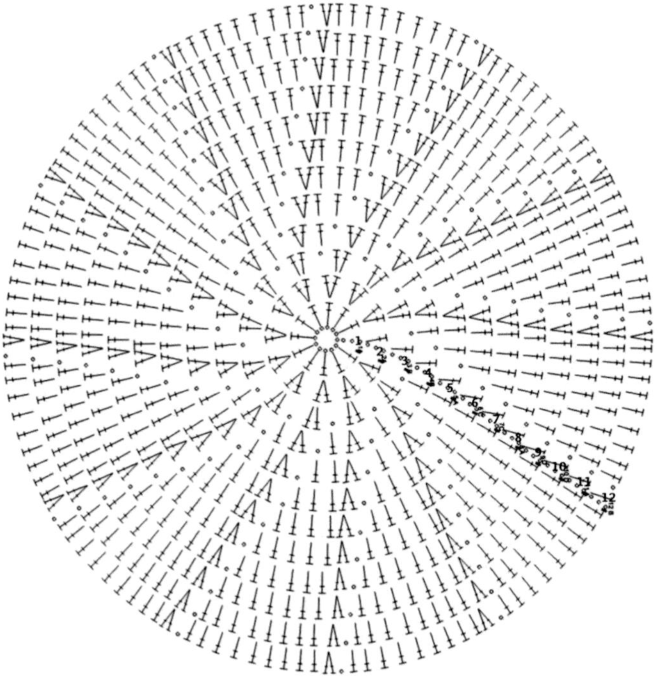

Tapado a rayas con motivos

TALLE 44-46

Técnica: Disminuciones internas, guardas y motivos multicolores.

María Fernanda Pérez

Materiales

- 250 g de mohair acrílico color habano.
- 250 g de mohair acrílico color beige.
- 150 g de acrílico con botón color crudo.
- 300 g de merino sedificado color tostado.
- 100 g de acrílico con pelo sedificado matizado en tonos ocre, marrón y beige.
- Agujas de crochet N° 4 ½.

Realización

En este tapado tanto las delanteras como la espalda se realizan en una sola pieza, que se teje desde el ruedo hacia los hombros.

ESPALDA Y DELANTERAS

Con aguja de crochet Nº 4 ½ y mohair acrílico color habano hacer una cadena de 200 puntos más 3 cadenas correspondientes a la primera vareta simple. Continuar tejiendo una hilera en punto vareta simple. Luego, con merino sedificado y mohair color habano tejer la guarda según el DIAGRAMA 1, cambiando de color cada 2 puntos vareta. Tejer una hilera más en mohair color habano y continuar realizando rayas de diferente ancho con los distintos hilados. A partir de la cuarta hilera cerrar 2 varetas juntas cada 18 puntos; quedan 190 puntos. Continuar disminuyendo 10 puntos cada 3 hileras de la siguiente manera: cerrar 2 puntos juntos cada 17 puntos, cada 16 puntos, cada 15 puntos, cada 14 puntos, cada 13 puntos, cada 12 puntos y por último cada 11 puntos; quedan 120 puntos. A 17 cm del inicio, con acrílico con pelo sedificado, tejer la guarda según el DIAGRAMA 2 y continuar con las rayas en punto vareta. A 24 cm de la última guarda, tejer nuevamente con acrílico con pelo sedificado la guarda del DIAGRAMA 2; repetirla una vez más a 15 cm de esta última. A los 48 cm de largo total, continuar tejiendo sin realizar disminuciones por 24 cm.
Luego, dividir el tejido en tres partes: reservar 30 puntos para la delantera derecha, 3 puntos para la sisa derecha, 56 puntos para la espalda, 3 puntos para la sisa izquierda y 30 puntos para la delantera izquierda. Retomar cada parte por separado, dejando sin tejer los 6 puntos de cada sisa. Comenzar las sisas de la espalda disminuyendo 1 punto de cada lado, en cada hilera, por dos veces. Para la sisa de la delantera derecha, disminuir 1 punto sobre el borde derecho, en cada hilera, por dos veces. Hacer la sisa izquierda de la misma manera, pero invertida. Tejer cinco motivos según el DIAGRAMA 3, intercalando los hilados. Coser tres motivos entre sí para la espalda y aplicar un motivo en cada delantera. Retomar los puntos del escote de la delantera derecha y hacer las disminuciones que indica el DIAGRAMA 4, tanto para el escote como para la sisa. Tejer la delantera izquierda de la misma manera, pero invertida. Para profundizar las sisas de la espalda, disminuir 1 punto sobre cada borde, en cada hilera, por tres veces. A los 20 cm de altura de sisas, cortar la hebra y rematar.

MANGAS

Las mangas, al igual que el cuerpo del tapado, se tejen en punto vareta realizando rayas de diferente grosor.
Con aguja de crochet Nº 4 ½ y mohair color habano hacer una cadena de 44 puntos más 3 cadenas para subir. Continuar tejiendo en punto vareta simple por 2 hileras. A partir de la tercera hilera disminuir 1 punto cerrando 2 varetas juntas cada 9 puntos por cuatro veces. En las próximas 3 hileras del derecho disminuir 1 punto cada 8 puntos por cuatro veces, luego 1 punto cada 7 puntos y finalmente 1 punto cada 6 puntos.

Tejer dos motivos según el DIAGRAMA 3; coserlos a la manga y continuar el tejido aumentando 1 punto de cada lado cada 2 hileras por dos veces. A 38 cm de la franja de motivos, tejer 3 puntos pasados y dejar sin tejer 3 puntos al final de la hilera. Para dar forma a la copa de manga, disminuir de cada lado 2 puntos por dos veces y 1 punto por ocho veces; quedan 6 puntos. A los 20 cm de altura de sisa, cortar la hebra y rematar. Tejer la otra manga igual.

ARMADO Y TERMINACIÓN

Coser los hombros y los costados del cuerpo. Coser las mangas y colocarlas, haciendo coincidir el medio con la costura de hombros y las disminuciones con las del cuerpo. Con mohair color habano ribetear el escote con 3 hileras de punto vareta y una hilera de punto cangrejo. Para el cinturón, con aguja de crochet Nº 4 ½ y mohair color habano hacer una cadena de 6 puntos más 3 cadenas para subir y tejer en punto vareta por 150 cm.

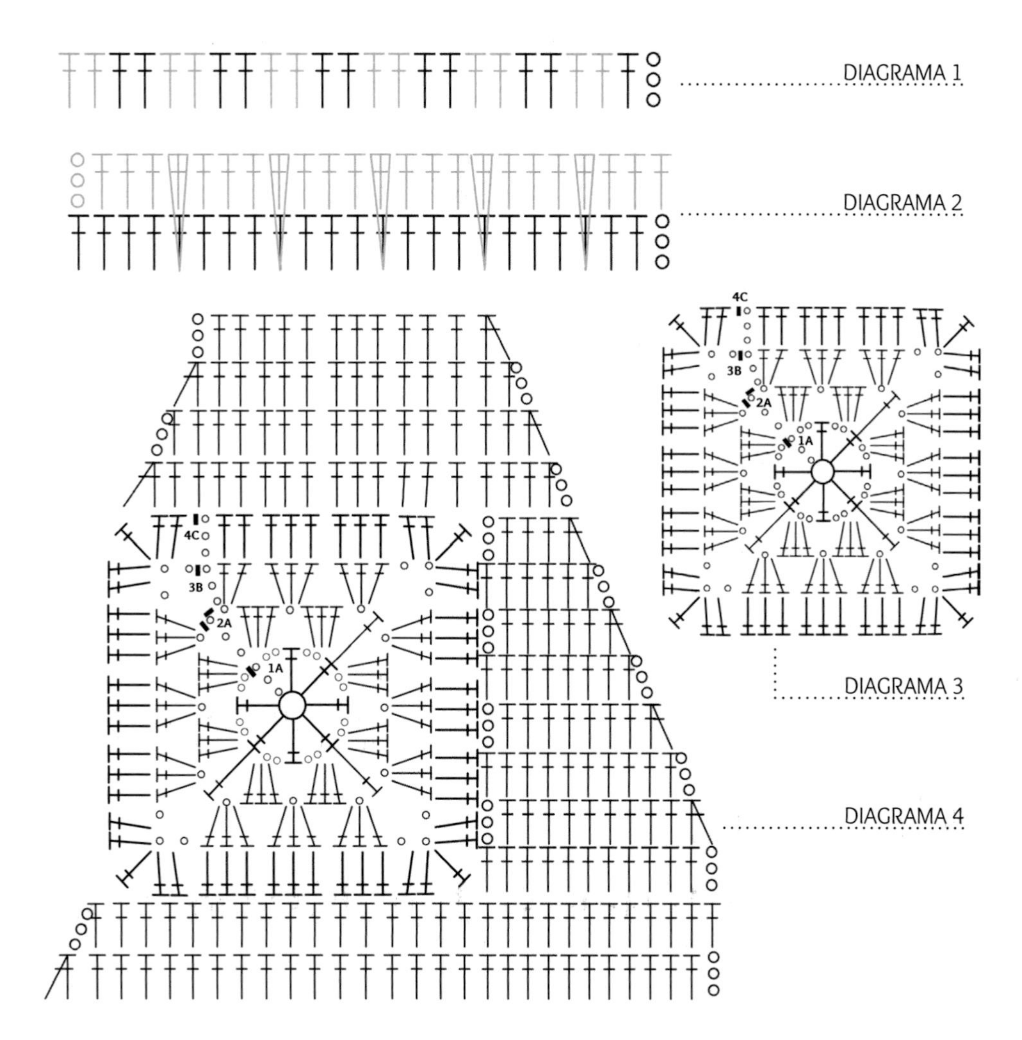

Pollera de encaje con gajos

TALLE 42

Técnica: Tejido circular con aumentos internos y tramas con relieve.

Materiales

- 700 g de seda acrílica color anaranjado quemado.
- 100 g de algodón con seda color anaranjado quemado.
- Agujas de crochet N° 000 y Nº 0000.

Realización

Con seda acrílica y aguja de crochet Nº 000 tejer una anilla de 80 cm de diámetro y cerrarla con un punto pasado. Continuar según el DIAGRAMA, intercalando los motivos de hojas. A partir de la duodécima hilera, cambiar a la aguja Nº 0000. Al completar 78 cm de largo, cortar la hebra y rematar.

TERMINACIÓN

Con algodón con seda y aguja de crochet Nº 000 retomar los puntos de la cintura y tejer 7 hileras en medio punto, cerrando cada hilera con un punto pasado. Realizar un cordón con algodón con seda y pasarlo por la cintura.

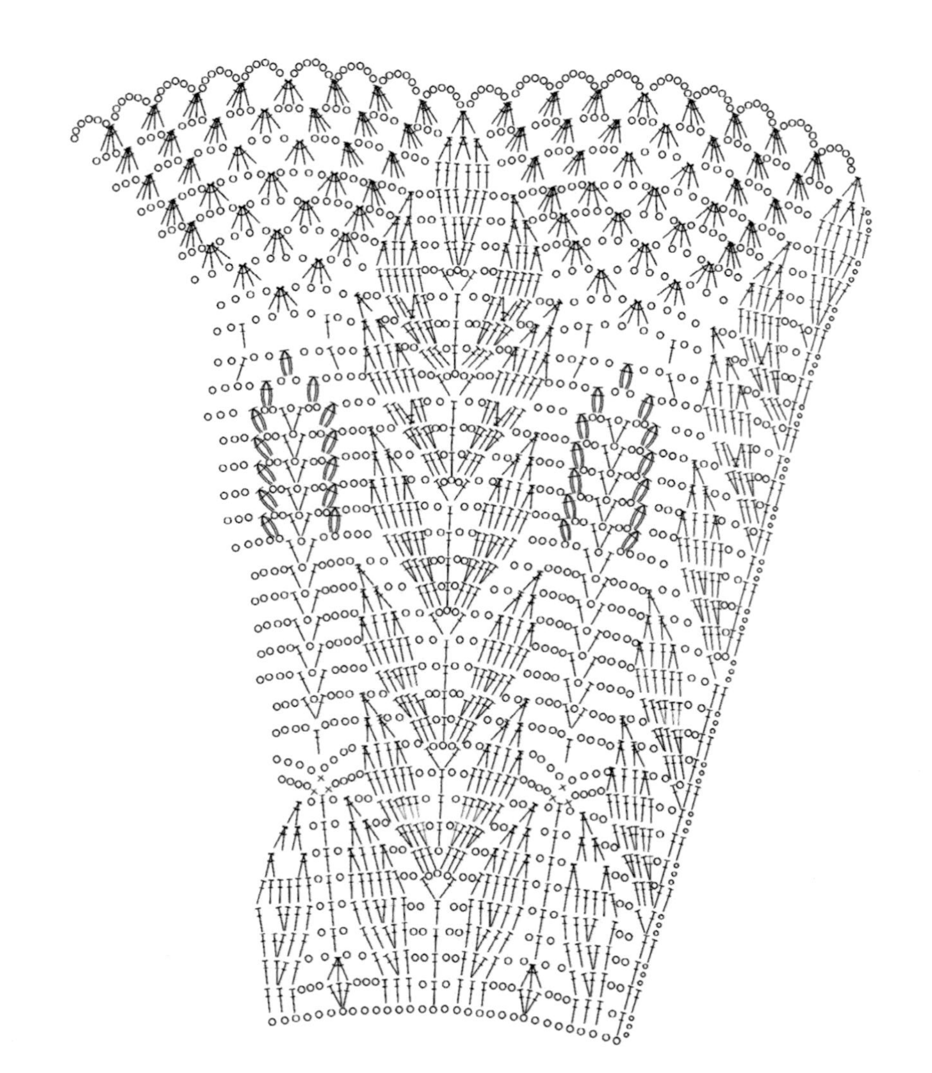

índice